A-Z WI[

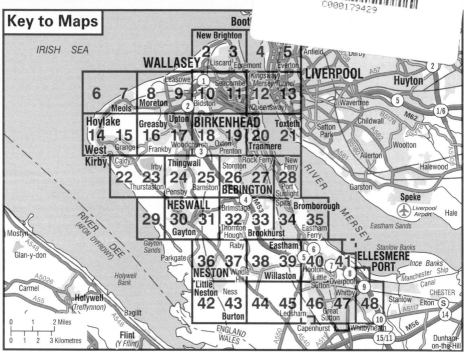

Key to Maps

Reference

Motorway	M53	
A Road	A551	
B Road	B5139	
Dual Carriageway		
One Way Street Traffic flow on A Roads is indicated by a heavy line on the driver's left.		
Restricted Access		
Pedestrianized Road		
Track & Footpath		
Railway Level Crossing / Station / Tunnel		

Built Up Area	SANDY LA	
Local Authority Boundary		
Postcode Boundary		
Map Continuation	10	
Car Park	P	
Church or Chapel	†	
Fire Station	■	
Hospital	H	
House Numbers A & B Roads only	18 / 25	
Information Centre	i	
National Grid Reference	330	

Police Station	▲
Post Office	★
Toilet with Disabled Facilities	▽ / 占
Educational Establishment	
Hospital or Hospice	
Industrial Building	
Leisure or Recreational Facility	
Place of Interest	
Public Building	
Shopping Centre or Market	
Other Selected Buildings	

Scale 1:15,840

4 inches (10.16 cm) to 1 mile
6.31cm to 1kilometre

0 — ¼ — ½ Mile
0 — 250 — 500 — 750 Metres — 1 Kilometre

Geographers' A-Z Map Company Limited

Head Office :
Fairfield Road, Borough Green, Sevenoaks, Kent TN15 8PP
Telephone: 01732 781000 (General Enquiries & Trade Sales)
Showrooms :
44 Gray's Inn Road, London WC1X 8HX
Telephone: 020 7440 9500 (Retail Sales)
www.a-zmaps.co.uk

Branch Dock (No2)

CHURCH ST.

Depot

BOOTLE

Bootle
Oriel
Road

Alexandra Dock

Branch Dock (No. 1)

MILLERS

Langton
Dock

Ferry
Terminal

Branch Dock

Brocklebank Dock

Liverpool to:
Belfast 8 hrs. 30mins.

SEFTON
WIRRAL

SEFTON
LIVERPOOL

Canada Branch Dock (No. 3)

94

Canada Branch Dock (No. 2)

Canada Dock

BRUNSWICK

Canada Graving Dock

Canada Branch Dock (No. 1)

BANKFIELD

Huskisson Branch Dock (No.3)

Huskisson Dock

L3

A5036

Huskisson Branch Dock (No.1)

SAND

93

SANDON
INDUSTRIAL
ESTATE

Sandon Dock

Sandon Half Tide Dock

Atlantic Park

DERBY

Wellington Dock

BLACKSTON

Superstore

ATHOL ST.
DENBIGH

Bramley Moore Dock

FULTON ST.

197

Egremont

Nelson Dock

WALTER

A565

Vau

Stanley Dock

HOWARD

RIVER MERSEY

LIVERPOOL
WIRRAL

Salisbury Dock

Collingwood Dock

Warehouses

SALTNEY

DUBLIN ST.

DICKSON ST.

COTTON ST.

92

Trafal

STREET

GREAT

WILLIAM

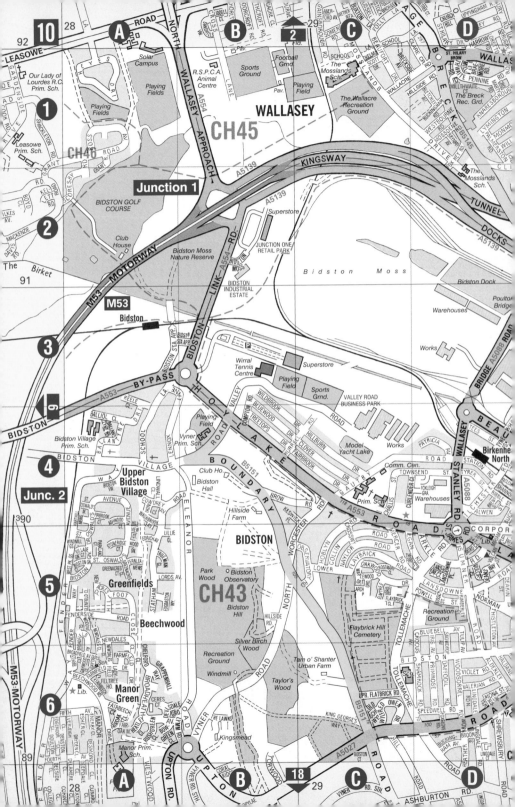

A **B** 21 / 6 **C** **D** STREET

HOYLAKE

Red Rocks

Hilbre Point

STANLEY

1

MARINE
QUEEN'S
WARREN RD.
THE
CROW
KINGS
GAP
VALENTIA
CT.
MONTROSE
CT.
ROSECROFT CT.
T.H.
Hoylake
CARR

Club House

DRIVE

A540

DRUMMOND

Club House

MORPETH RD.

ROYAL LIVERPOOL
GOLF COURSE

2

HOYLAKE MUNICIPAL
GOLF COURSE

WINNINGTON RD.

3

MEOLS

EDDISBURY

ROAD

Playing Field

Footbe
Groun
Pav.

WILTON GRANGE
PINFOLD LA.
PINFOLD CT.
LYNDHURST
BRAMERTON CT.
WEST LODGE DR.

W.Kirby
Grammar
Sch. for
Girls

Sports
Grd.

GREENBANK

ANGLESEY RD.
ORRYSDALE RD.
GRAHAM
RIDLY
HILTON
MURRY
NORTH
JUBILEE
REDHOUSE
REDBURTH
GREENHOW
HILLVIEW
MARINE
BIRKETT RD.
GRAINGER
GRANGER
AV.
LANG
BELMONT RD.

4

RISK ACRE
Sch.
BRIDGE RD.

LINGDALE ROAD

MEOLS DRIVE

CLAREMONT RD.
LEIGH
ASHURTH
HEATHER
GERARD
GR.
RD.
Gran

BRIDGE
DE
CONCOURSE
P
CRYSTAL
DE GROUCHY
BROOKFIELD
CARPENTERS LA.

West
Kirby
W. KIRBY CONCSE.

A540

RIVERSDALE ROAD
Sch.
SANDLEA

5

DEE LANE
BANKS
SOUTH
P
T
SALISBURY AV.
HOSCOTE PK.
GROVESIDE
VICTORIA DRI.
SHREWSBURY RD.

NORTH
ACACIA
PARK RD.
DUNRAVEN
ASHTON DRI.

WESTBOURNE RD.
WESTGA
GROVE
Comm.
Cen.

WEST
KIRBY

TOWNFIELD
GROSVENOR
EGERTON
PRINCE
RD.

Ashton
Park

6

West Kirby
Marine Lake

(Wirral Sailing
School)

Tanskey
Rocks

CHURCH RD.
ALEXANDRA
ALBERT RD.
EATON RD.
SOUTH RD.
REDCOTE CT.
SPINDRIFT
Gdns.

BANKS ROAD
PARADE

HILBRE ROAD
VICTORIA RD.
MOSTYN AV.
HYDRO AV.
MADRE
KALE
RIVER SIDE
HEADLAND

Prim.
Sch.

SANDY
Tell's Tower Dr.

QUEEN'S DOCK

Customs & Excise

Drawbridge

Coburg Dock Marina

Brunswick Dock

MERSEY

L3

L8

Toxteth

Brunswick

BRUNSWICK BUSINESS PARK

RIVERSIDE BUSINESS PARK

Recreation Ground

Dingle

L17

WARWICK

Our Lady of Mt. Carmel Prim. Sch.

1

2

3

4

5

6

86

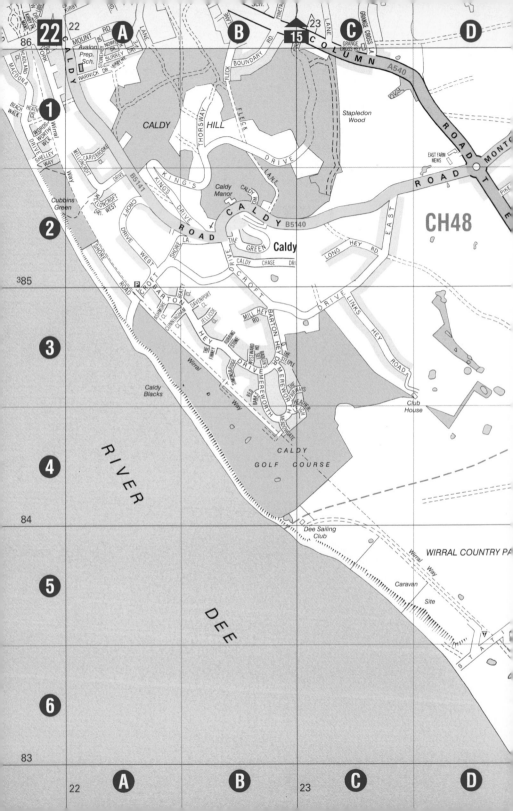

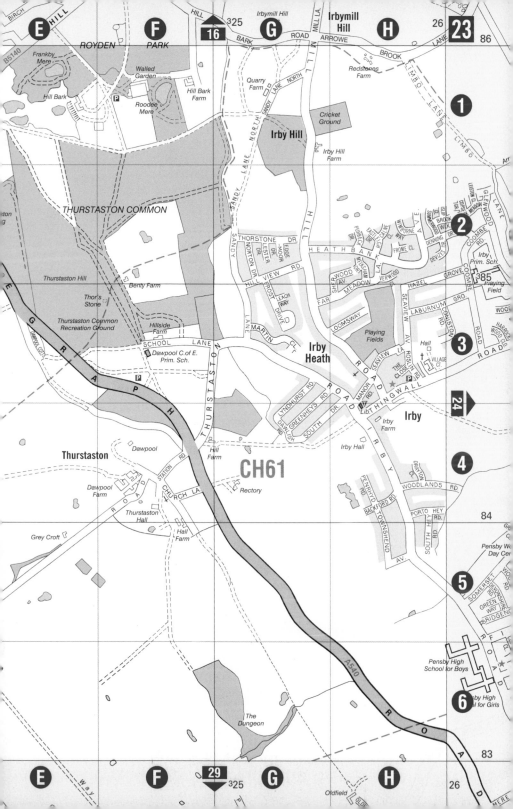

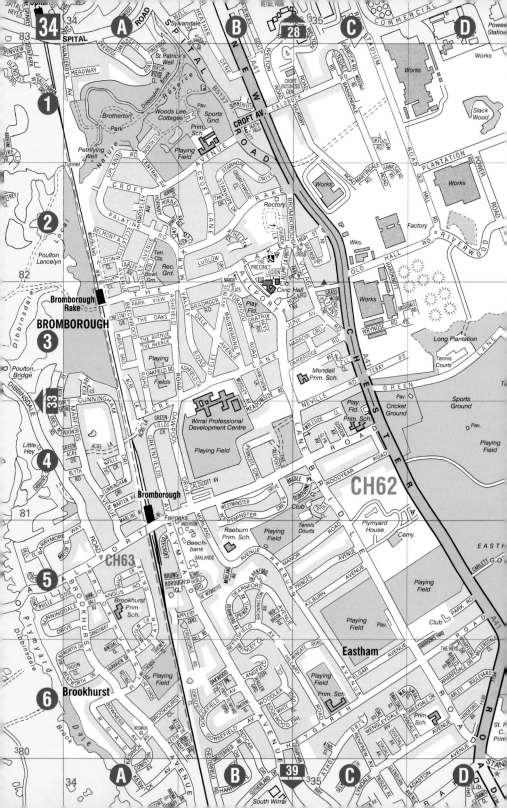

E   F   37   G   H   38   **35** 83

1

2

82

R I V E R

Job's Ferry

Playing
Field

**Eastham
Ferry**

Eastham
Country
Park

3

M E R S E Y

R
O
A
D

Eastham
Woods

LOCK RD

Custom
House

Lock

4

81

Metropolitan
College

Playing
Field

Lock
Eastham
Locks

Queen Elizabeth II
Dock

M
A
N
C
H
E
S
T
E
R

5

LODGE
URSE

Tank
Farm

Club
House

MAYFIELD DR

SEAVIEW AV

DAVID

JOHN'S

ROAD

CHRISTOPHER DR

Oil
Storage
Depot

BANKFIELDS

Oil
Storage
Depot

S
H
I
P

Bowl.
Grn.

Pav.

Rec. Grd.

F
E
R
R
Y

Poultry
Houses

Storage
Depot

D
R
I
V
E

Oil
Refinery

6

380

V
I
L
L
A
G
E

RIVERSIDE
ROAD

E   F   **40**
37   G   Tanks   H   38

C
A
N
A
L

RTH

Eastham
House

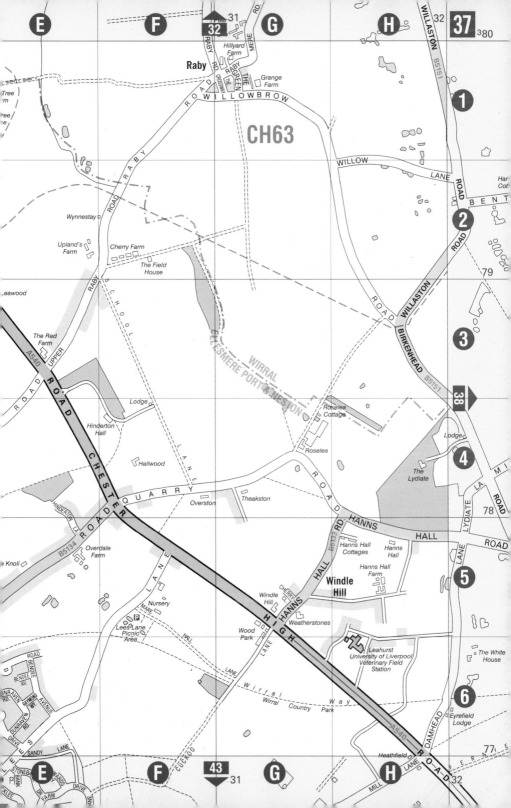

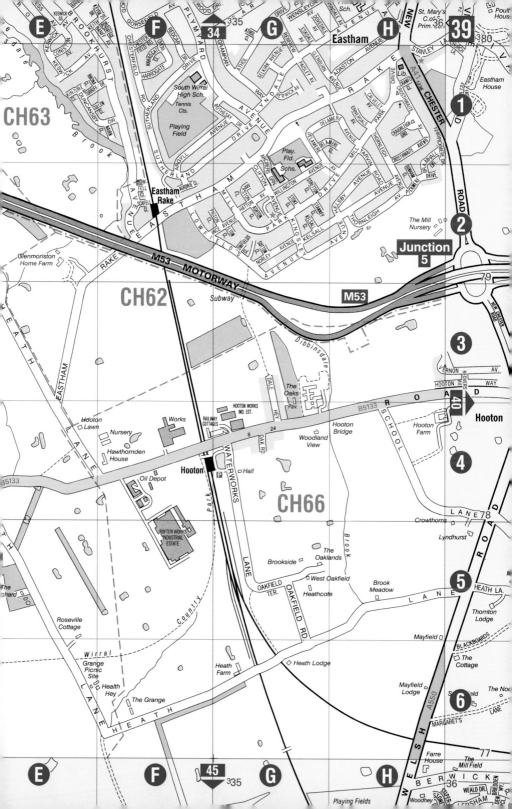

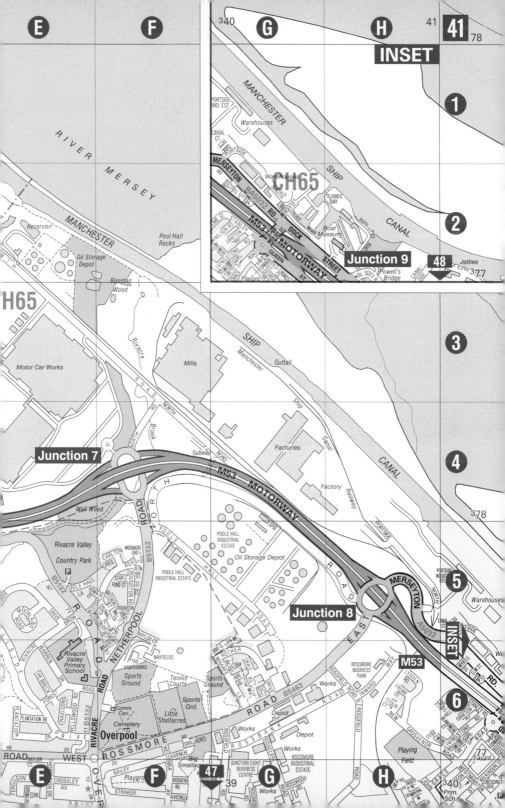

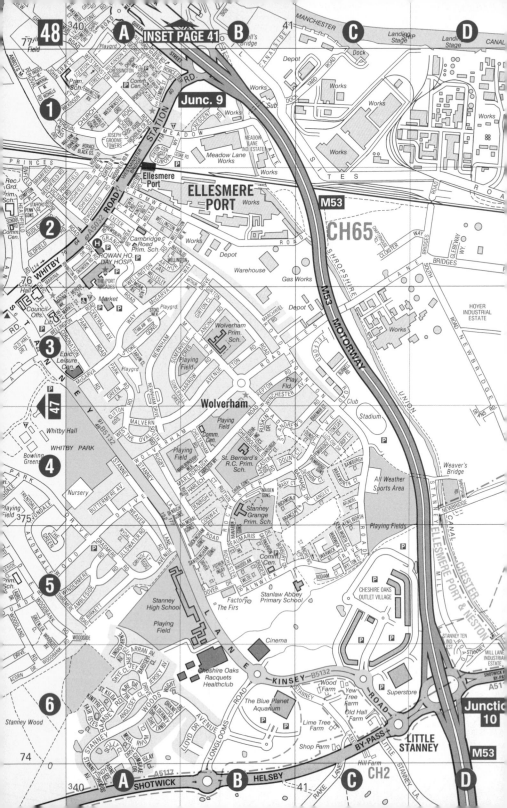

INDEX

Including Streets, Places & Areas, Industrial Estates, Selected Subsidiary Addresses and Selected Places of Interest.

HOW TO USE THIS INDEX

1. Each street name is followed by its Posttown or Postal Locality and then by its map reference; e.g. Abbots Dri. *Wir* —4F **27** is in the Wirral Posttown and is to be found in square 4F on page **27**. The page number being shown in bold type. A strict alphabetical order is followed in which Av., Rd., St., etc. (though abbreviated) are read in full and as part of the street name; e.g. Apple Gth. appears after Appledale Dri. but before Appleton Dri.

2. Streets and a selection of Subsidiary names not shown on the Maps, appear in the index in *Italics* with the thoroughfare to which it is connected shown in brackets; e.g. *A41 Expressway. Birk* —4B **20** (off Royal Standard Way)

3. Places and areas are shown in the index in **bold type**, the map reference referring to the actual map square in which the town or area is located and not to the place name; e.g. **Arrowe Hill.** —4F **17**

4. An example of a selected place of interest is Albert Dock. —5E **13**

GENERAL ABBREVIATIONS

All : Alley	Ct : Court	Lit : Little	Rd : Road
App : Approach	Cres : Crescent	Lwr : Lower	Shop : Shopping
Arc : Arcade	Cft : Croft	Mc : Mac	S : South
Av : Avenue	Dri : Drive	Mnr : Manor	Sq : Square
Bk : Back	E : East	Mans : Mansions	Sta : Station
Boulevd : Boulevard	Embkmt : Embankment	Mkt : Market	St : Street
Bri : Bridge	Est : Estate	Mdw : Meadow	Ter : Terrace
B'way : Broadway	Fld : Field	M : Mews	Trad : Trading
Bldgs : Buildings	Gdns : Gardens	Mt : Mount	Up : Upper
Bus : Business	Gth : Garth	Mus : Museum	Va : Vale
Cvn : Caravan	Ga : Gate	N : North	Vw : View
Cen : Centre	Gt : Great	Pal : Palace	Vs : Villas
Chu : Church	Grn : Green	Pde : Parade	Vis : Visitors
Chyd : Churchyard	Gro : Grove	Pk : Park	Wlk : Walk
Circ : Circle	Ho : House	Pas : Passage	W : West
Cir : Circus	Ind : Industrial	Pl : Place	Yd : Yard
Clo : Close	Info : Information	Quad : Quadrant	
Comn : Common	Junct : Junction	Res : Residential	
Cotts : Cottages	La : Lane	Ri : Rise	

POSTTOWN AND POSTAL LOCALITY ABBREVIATIONS

Aig : Aigburth	*East* : Eastham	*Led* : Ledsham	*Spit* : Spital
Anf : Anfield	*Edg H* : Edge Hill	*Lith* : Litherland	*Stoak* : Stoak
Back : Backford	*Ell P* : Ellesmere Port	*Liv* : Liverpool	*Tarr I* : Tarran Ind. Est.
Beb : Bebington	*Ersk* : Erskine Ind. Est.	*Low H* : Low Hill	*Thing* : Thingwall
Birk : Birkenhead	*Eve* : Everton	*Meol* : Meols	*Thor H* : Thornton Hough
Boot : Bootle	*Fran* : Frankby	*Mil B* : Millers Bridge Ind. Est.	*Thur* : Thurstaston
Brim : Brimstage	*Grea* : Greasby	*More* : Moreton	*Tox* : Toxteth
Brom : Bromborough	*Gt Sut* : Great Sutton	*Ness* : Ness	*Tran* : Tranmere
Brom P : Bromborough Pool	*Hes* : Heswall	*Nest* : Neston	*Upt* : Upton
Brun B : Brunswick Bus. Pk.	*High B* : Higher Bebington	*New F* : New Ferry	*W Kir* : West Kirby
Burt : Burton	*Hoot* : Hooton	*Nor C* : North Cheshire Trad. Est.	*W'chu* : Woodchurch
Cald : Caldy	*Hoy* : Hoylake	*Old I* : Old Hall Ind. Est.	*Wall* : Wallasey
Cap : Capenhurst	*Irby* : Irby	*Park* : Parkgate	*Walt* : Walton
Chil T : Childer Thornton	*Kens* : Kensington	*Pens* : Pensby	*Whitby* : Whitby
Chor B : Chorlton-by-Backford	*Kirk* : Kirkdale	*Port S* : Port Sunlight	*Will* : Willaston
Clay L : Clayhill Light Ind. Pk.	*L Nes* : Little Neston	*Pren* : Prenton	*Wir* : Wirral
Croft B : Croft Bus. Pk.	*L Stan* : Little Stanney	*Prin P* : Princes Park	*Wolv* : Wolverham
Ding : Dingle	*L Sut* : Little Sutton	*Pudd* : Puddington	*Wood* : Woodbank
Dunk : Dunkirk	*Laird T* : Lairdside Technology Pk.	*Raby M* : Raby Mere	

INDEX

Abbey Clo. *Birk* —2B **20**
Abbeyfield Ho. *Whitby* —4G **47**
Abbey Rd. *Wir* —5D **14**
Abbey St. *Birk* —2B **20**
Abbot Clo. *Pren* —1A **18**
Abbots Dri. *Wir* —4F **27**
Abbotsford St. *Wall* —3A **12**
Abbots M. *Ell P* —1H **47**
Abbots Way. *Nest* —5C **36**
Abbots Way. *W Kir* —4E **15**
Abercromby Sq. *Liv* —4H **13**
Aberdeen St. *Birk* —6G **11**
Aberford Av. *Wall* —6C **2**
Aber St. *Liv* —2H **13**
Abingdon Rd. *Wir* —4B **16**
Abram St. *Liv* —6G **5**
Acacia Clo. *Wir* —6C **16**
Acacia Dri. *Gt Sut* —6F **47**
Acacia Gro. *Wall* —3A **12**
Acacia Gro. *Wir* —5C **14**
Ackers Rd. *W'chu* —5A **18**
Acland Rd. *Wall* —1F **11**
Acorn Clo. *Wir* —3D **26**
Acorn Ct. *Liv* —1G **21**

Acorn Dri. *Whitby* —6H **47**
Acrefield Ct. *Birk* —6F **19**
Acrefield Rd. *Birk* —6F **19**
Acre La. *Brom* —4A **34**
(in two parts)
Acre La. *Hes* —2E **31**
Acre Rd. *Gt Sut* —2D **46**
Acres Rd. *Birk* —3F **27**
Acres Rd. *Meol* —6H **7**
Acreville Rd. *Wir* —4F **27**
Acton La. *Wir* —6C **8**
Acton Rd. *Birk* —6C **20**
Acuba Gro. *Birk* —3A **20**
Adam Av. *Gt Sut* —3C **46**
(in two parts)
Adam Clo. *Gt Sut* —3D **46**
Adam St. *Liv* —5H **5**
Adaston Av. *Wir* —1H **39**
Addingham St. *Wall* —2H **11**
Addison St. *Liv* —2F **13**
Addison Way. *Liv* —2F **13**
Adelaide Pl. *Liv* —1G **13**
Adelaide Rd. *Birk* —3G **19**
Adelaide St. *Wall* —2F **11**

Adelphi St. *Birk* —1A **20**
Adfalent La. *Will* —6C **38**
Adkins St. *Liv* —5H **5**
Adlington Ho. *Liv* —2F **13**
Adlington St. *Liv* —2F **13**
Admiral Gro. *Liv* —2H **21**
Admiral St. *Liv* —2H **21**
A41 Expressway. Birk —4B **20**
(off Royal Standard Way)
Agnes Gro. *Wall* —6G **3**
Agnes Rd. *Birk* —4H **19**
Aigburth Gro. *Wir* —5D **8**
Ailsa Rd. *Wall* —6B **3**
Ainsdale Clo. *Brom* —6A **34**
Ainsdale Clo. *Thing* —4C **24**
Ainsworth Av. *Wir* —1C **16**
Ainsworth St. *Liv* —4G **13**
Aintree Clo. *Wir* —2F **13**
Aintree Gro. *Gt Sut* —4D **46**
Airdale Clo. *Liv* —1A **18**
Airdrie Clo. *Wir* —2F **39**
Aire Clo. *Ell P* —6G **48**
Airlie Rd. *Wir* —1D **14**
Akbar, The. *Wir* —2G **29**

Alabama Way. *Birk* —1B **20**
Alastair Cres. *Pren* —6D **18**
Albany Gdns. *L Sut* —6C **40**
Albany Rd. *Birk* —5A **20**
Albemarle Rd. *Wall* —2H **11**
Albert Dock. —5E **13**
Albert Dri. *Nest* —5B **36**
Albert Rd. *Birk* —3G **19**
Albert Rd. *Hoy* —1D **14**
Albert Rd. *W Kir* —6C **14**
Albert St. *Wall* —2G **3**
Albion Pl. *Wall* —3F **3**
Albion St. *Birk* —1B **20**
(in two parts)
Albion St. *Liv* —5G **5**
Albion St. *Wall* —3E **3**
Aldams Gro. *Liv* —2G **5**
Alder Dri. *Gt Sut* —6F **47**
Alderley Av. *Birk* —6D **10**
Alderley Rd. *Wall* —2F **11**
Alderley Rd. *Wir* —6D **6**
Alderley Rd. N. *Wir* —6D **6**
Alderney Clo. *Ell P* —7A **48**
Alderney Rd. *Liv* —6E **5**

A-Z Wirral 49

Alder Rd. *Wir* —5D **26**
Aldersgate. *Birk* —5B **20**
Aldersley St. *Liv* —2F **13**
Aldford Clo. *Pren* —5C **18**
Aldford Clo. *Wir* —5H **33**
Aldgate. *Ell P* —2G **47**
Alexander Dri. *Wir* —6A **24**
Alexander Wlk. *Liv* —3H **5**
Alexander Way. Liv —3H 21
(off Pk. Hill Rd.)
Alexandra Ct. *Wall* —3E **3**
Alexandra Dri. *Birk* —6A **20**
Alexandra Rd. *Pren* —2F **19**
Alexandra Rd. *Wall* —3E **3**
Alexandra Rd. *Wir* —6C **14**
Alexandra St. *Ell P* —2G **41**
Alex Clo. *Liv* —1H **21**
Alfonso Rd. *Liv* —3F **5**
Alfred M. *Liv* —6G **13**
Alfred Pl. *Liv* —3H **21**
Alfred Rd. *Pren* —2G **19**
Alfred Rd. *Wall* —4A **12**
Alison Av. *Birk* —4B **20**
Alistair Dri. *Wir* —6A **34**
Allangate Clo. *Wir* —5C **16**
Allans Clo. *Nest* —1C **42**
Allans Mdw. *Nest* —1C **42**
Allcot Av. *Birk* —5H **19**
Allerton Gro. *Birk* —4H **19**
Allerton Rd. *Birk* —3H **19**
Allerton Rd. *Wall* —5E **3**
Allonby Clo. *Pren* —3C **18**
Allport La. *Wir* —3B **34**
Allport La. Precinct. *Wir* —2B **34**
Allport Rd. *Wir* —5A **34**
Allports, The. *Wir* —4B **34**
Alma St. *Birk* —1A **20**
Alma St. *Wir* —2G **27**
Almond Pl. *Wir* —5F **9**
Almond Way. *Wir* —5C **16**
Alnwick Dri. *Ell P* —5B **48**
Alnwick Dri. *Wir* —5B **8**
Alpha Dri. *Birk* —6C **20**
Alroy Rd. *Liv* —4H **5**
Alston Clo. *Wir* —2A **34**
Altcar Dri. *Wir* —6D **8**
Althorp St. *Liv* —4H **21**
Alton Rd. *Pren* —2E **19**
Alundale Ct. *Boot* —1E **5**
Alvanley Pl. *Pren* —1G **19**
Alvanley Rd. *Gt Sut* —3E **47**
Alvanley Way. *Gt Sut* —3E **47**
Alvega Clo. *Wir* —2A **28**
Alverstone Av. *Birk* —6D **10**
Alverstone Rd. *Wall* —2H **11**
Alvina La. *Kirk* —4G **5**
Alwen St. *Birk* —4D **10**
Alwyn Gdns. *Wir* —5F **9**
Amberley Av. *Wir* —6C **8**
Amberley Clo. *Wir* —6C **8**
Amberley St. *Liv* —6H **13**
Ambleside Av. *Wir* —5D **8**
Ambleside Clo. *Brom* —4C **34**
Ambleside Clo. *Thing* —3C **24**
Ambleside Rd. *Ell P* —5A **48**
Amelia Clo. *Liv* —2H **13**
Amery Gro. *Birk* —5F **19**
Amity St. *Liv* —2H **21**
Amusement Pk. —2F 3
Anchorage, The. *Liv* —1F **21**
Anchorage, The. *Park* —6A **36**
Anderson Clo. *Wir* —3C **24**
Anderson Ct. *Brom* —5B **34**
Anderson St. *Liv* —5G **5**
(in two parts)
Andrew St. *Liv* —2H **5**
Andrew's Wlk. *Wir* —3D **30**
Anfield. —4H 5
Anfield Rd. *Liv* —4H **5**
Anglesea Way. *Liv* —3H **21**
Anglesey Clo. *Ell P* —6A **48**
Anglesey Rd. *Wall* —6F **3**
Anglesey Rd. *Wir* —4C **14**
Anglican Ct. *Liv* —6G **13**
Angus Rd. *Wir* —5A **34**
Ann Clo. *Ell P* —6D **40**
Annesley Rd. *Wall* —2G **11**
Anscot Av. *Wir* —3F **27**
Anson Pl. *Liv* —3H **13**
Anson St. *Liv* —3G **13**
Anson Ter. *Liv* —3H **13**
Anstey Clo. *Wir* —4B **8**
Anthony's Way. *Wir* —4C **30**

Anthorn Clo. *Pren* —3B **18**
Antonio St. *Boot* —2F **5**
Antons Rd. *Wir* —4C **24**
Antrim Dri. *Gt Sut* —5F **47**
Anzacs, The. *Wir* —3A **28**
Appin Rd. *Birk* —2A **20**
Appleby Gro. *Wir* —5B **34**
Appledale Dri. *Whitby* —6B **46**
Apple Gth. *Wir* —1C **16**
Appleton Dri. *Whitby* —4F **47**
Appleton Dri. *Wir* —4E **17**
Appletree Gro. *Gt Sut* —6A **46**
Apsley Av. *Wall* —5F **3**
Apsley Gro. *Wir* —3G **27**
Apsley Rd. *Wir* —1H **27**
Arborn Dri. *Wir* —1G **17**
Arcade, The. *Ell P* —2G **47**
Archbishop Warlock Ct. *Liv* —1E **13**
Archer Clo. *Liv* —4G **5**
Archers Ct. *Wir* —5G **17**
Archers Grn. *Wir* —1G **39**
Archer St. *Liv* —4G **5**
Archers Way. *Gt Sut* —6E **47**
Archers Way. *Upt* —5G **17**
Arden Clo. *Wir* —1C **42**
Arderne Clo. *Wir* —1H **33**
Argos Pl. *Liv* —2F **5**
Argos Rd. *Liv* —2F **5**
Argyle St. *Birk* —1A **20**
Argyle St. *Liv* —5F **13**
Argyle St. S. *Birk* —2H **19**
Argyll Av. *Wir* —1F **39**
Arkle Rd. *Pren* —5D **10**
Ark Royal Way. *Laird T* —3B **20**
Arkwood Clo. *Wir* —6A **28**
Arley Clo. *Pren* —1A **18**
Arley St. *Liv* —1E **13**
Arlington Ct. *Pren* —2D **18**
Arlington Rd. *Wall* —5C **2**
Armour Ho. Liv —4E 13
(off Lord St.)
Armstrong Quay. *Liv* —4G **21**
Armthorpe Dri. *L Sut* —2B **46**
Arno Ct. *Pren* —4F **19**
Arnold St. *Liv* —1H **21**
Arnold St. *Wall* —6F **3**
Arno Rd. *Pren* —4F **19**
Arnot St. *Liv* —2H **5**
Arnot Way. *Wir* —3D **26**
Arnside Rd. *Pren* —3E **19**
Arnside Rd. *Wall* —6F **3**
Arrad St. *Liv* —5H **13**
Arran Av. *Ell P* —6A **48**
Arrowe Av. *Wir* —6D **8**
Arrowe Brook La. *Wir* —6D **16**
Arrowe Brook Rd. *Wir* —5F **17**
Arrowe Country Pk. —6G 17
Arrowe Ct. Wir —5G 17
(off Childwall Grn.)
Arrowe Hill. —4F 17
Arrowe Pk. Golf Course. —2C 24
Arrowe Pk. Rd. *Wir* —2G **17**
Arrowe Rd. *Wir* —4D **16**
Arrowe Side. *Wir* —3E **17**
Arthur Av. *Ell P* —2A **48**
Arthur St. *Birk* —6G **11**
(in two parts)
Arundel Av. *Wall* —5D **2**
Arundel Clo. *Wir* —4B **24**
Arundel Ct. *Ell P* —4C **48**
Arundel St. *Wall* —2G **5**
Asbury Rd. *Wall* —5B **2**
Ascot Dri. *Beb* —4F **27**
Ascot Rd. *Gt Sut* —4D **46**
Ascot Gro. *Beb* —4F **27**
Ashbrook Ter. *Wir* —3G **27**
Ashburton Av. *Pren* —1D **18**
Ashburton Rd. *Pren* —1D **18**
Ashburton Rd. *Wall* —1F **11**
Ashburton Rd. *Wir* —4D **14**
Ashby Clo. *Wir* —4B **8**
Ash Clo. *Gt Sut* —6F **47**
Ashcroft Dri. *Wir* —1B **30**
Ashdale Pk. *Wir* —3B **16**
Ashdown Dri. *Wir* —5C **16**
Ashfield Cres. *Wir* —3B **34**
Ashfield Rd. *Brom* —3A **34**
Ashfield Rd. *Ell P* —2A **48**
Ashfield Rd. N. *Ell P* —2A **48**
Ashfield St. *Liv* —6E **5**
Ashford Rd. *Birk* —3G **19**
Ashford Rd. *Wir* —5E **7**
Ash Gro. *L Sut* —1C **46**

Ash Gro. *Liv* —3H **5**
Ash Gro. *Wall* —4G **3**
Ashlea Rd. *Wir* —6B **24**
Ashley Av. *Wir* —4H **7**
Ashley St. *Birk* —5B **20**
Ashmore Clo. *Wir* —3A **22**
Ash Rd. *Birk* —3G **19**
Ash Rd. *Wir* —2F **27**
Ashton Clo. *Wir* —2G **39**
Ashton Dri. *Wir* —5C **14**
Ashton St. *Liv* —3H **13**
Ashtree Clo. *L Nes* —6D **36**
Ashtree Clo. *Wir* —6C **38**
Ashtree Dri. *L Nes* —1E **43**
Ashtree Farm Ct. *Will* —5C **38**
Ash Vs. *Wall* —3G **11**
Ashville Rd. *Pren & Birk* —1E **19**
Ashville Rd. *Wall* —2G **11**
Ash Way. *Wir* —5D **30**
Ashwell St. *Liv* —2H **5**
Ashwood Clo. *Gt Sut* —6D **46**
Ashwood Ct. *Pren* —4A **10**
Askew Clo. *Wall* —1H **11**
Askew St. *Liv* —2H **5**
Askrigg Av. *L Sut* —2B **46**
Aspen Clo. *Gt Sut* —6E **47**
Aspen Clo. *Wir* —4F **31**
Aspendale Rd. *Birk* —3H **19**
Aspinall St. *Birk* —6G **11**
Aspinall St. *Wir* —4F **5**
Asquith Av. *Birk* —6F **11**
Asterfield Av. *Wir* —2E **27**
Aston Clo. *Pren* —4D **18**
Astonwood Rd. *Birk* —4H **19**
Astor St. *Liv* —1H **5**
Athelstan Clo. *Wir* —2B **34**
Atherton Clo. *Liv* —6G **5**
Atherton Ct. *Wall* —3E **3**
Atherton Dri. *Wir* —4G **17**
Atherton Rd. *Ell P* —1F **47**
Atherton St. *Wall* —2H **3**
Athol Clo. *Wir* —6C **34**
Athol Dri. *Wir* —1G **39**
Athol St. *Birk* —6A **12**
Athol St. *Liv* —6D **4**
(Gt. Howard St.)
Athol St. *Liv* —6E **5**
(Vauxhall Rd.)
Atlantic Pavilion. *Liv* —5E **13**
Atlantic Way. *Brun B* —2F **21**
Atterbury St. *Liv* —2F **21**
Attwood St. *Liv* —4H **5**
Atwell St. *Liv* —1H **13**
Atworth Ter. Will —5B 38
(off Neston Rd.)
Aubrey St. *Liv* —1H **13**
(in two parts)
Auburn Rd. *Wall* —4E **3**
Aubynes, The. *Wall* —4C **2**
Auckery Av. *Gt Sut* —4D **46**
Audlem Av. *Pren* —4D **18**
Audley St. *Liv* —3G **13**
Aughton Ct. *Upt* —2G **17**
Austin St. *Wall* —3E **11**
Autumn Gro. *Birk* —1E **27**
Avelon Clo. *Pren* —2B **18**
Avenue, The. *Wir* —3A **34**
Avon Clo. *Kirk* —3G **5**
Avon Clo. *Nest* —1C **42**
Avondale. *Ell P* —4H **47**
Avondale Av. *East* —6C **34**
Avondale Av. *More* —4F **9**
Avondale Rd. *Wir* —6D **6**
Avon St. *Birk* —4D **10**
Axholme Clo. *Wir* —4D **24**
Axholme Rd. *Wir* —3D **24**
Aylesbury Av. *Pren* —5C **18**
Aylesbury Clo. *Gt Sut* —4C **46**
Aylesbury Rd. *Wall* —4G **3**
Aylsham Dri. *Wir* —6G **9**
Aysgarth Rd. *Wall* —5D **2**

Bk. Barlow La. *Liv* —3G **5**
Bk. Beau St. *Liv* —1G **13**
Bk. Bedford St. *Liv* —5H **13**
Bk. Berry St. *Liv* —5G **13**
Bk. Blackfield Ter. *Liv* —4F **5**
Bk. Bold St. *Liv* —4G **13**
(in two parts)
Bk. Boundary Clo. *Liv* —5F **5**
Bk. Bridport St. Liv —3G 13
(off Bridport St., in two parts)

Bk. Canning St. *Liv* —5G **13**
Bk. Catharine St. *Liv* —5H **13**
Bk. Chadwick Mt. *Liv* —4G **5**
Bk. Colquitt St. *Liv* —5F **13**
Bk. Commutation Row. *Liv* —3G **13**
Bk. Egerton St. N. *Liv* —6H **13**
Bk. Egerton St. S. *Liv* —6H **13**
Bk. Falkner St. S. *Liv* —6H **13**
Backford Clo. *Pren* —4C **18**
Backford Gdns. *Gt Sut* —6A **46**
Backford Rd. *Wir* —4H **23**
Bk. Guilford St. *Liv* —1H **13**
Bk. Hope Pl. *Liv* —5G **13**
Bk. Huskisson St. *Liv* —6H **13**
Bk. Knight St. *Liv* —5G **13**
Bk. Langham St. *Liv* —3H **5**
Bk. Leeds St. *Liv* —2D **12**
Bk. Lime St. Liv —4F 13
(off Lime St.)
Bk. Lit. Canning St. *Liv* —6H **13**
Bk. Lord St. *Liv* —4E **13**
Bk. Maryland St. *Liv* —5H **13**
Bk. Menai St. *Birk* —1G **19**
Bk. Mt. Vernon Vw. *Liv* —3H **13**
Bk. Mulberry St. *Liv* —5H **13**
Bk. Oliver St. *Birk* —1A **20**
Bk. Percy St. *Liv* —6H **13**
Bk. Pickop St. *Liv* —2E **13**
Bk. Price St. *Birk* —6H **11**
Bk. Renshaw St. *Liv* —4G **13**
Bk. Rockfield Rd. *Liv* —4H **5**
Bk. St Bride St. *Liv* —5H **13**
Bk. Sandon St. *Liv* —6H **13**
Bk. Sea Vw. *Wir* —6D **6**
Bk. Seel St. *Liv* —5F **13**
Bk. Sir Howard St. *Liv* —5H **13**
Bk. Westminster Rd. *Liv* —3G **5**
Bk. York Ter. *Liv* —5G **5**
Bader Clo. *Wir* —6B **24**
Badger Bait. *L Nes* —1D **42**
Badgers Clo. *Gt Sut* —6A **46**
Badgers Pk. *L Nes* —1D **42**
Badgersrake La. *L Sut & Led* —4E **45**
Badger's Set *Wir* —3B **22**
Badger Way. *Pren* —1G **25**
Badminton St. *Liv* —4H **21**
Baffin Clo. *Wir* —1G **9**
Bagnall St. *Liv* —4H **5**
Baildon Grn. *L Sut* —1B **46**
Bailey Av. *Ell P* —1F **47**
Bailey St. *Liv* —5F **13**
Baker Dri. *Gt Sut* —4E **47**
Baker St. *Liv* —2H **13**
Baker Way. *Liv* —2H **13**
Bala Gro. *Wall* —2E **11**
Balfour Rd. *Pren* —2F **19**
Balfour Rd. *Wall* —2E **11**
Balfour St. *Liv* —4H **5**
Ballantyne Dri. *Pren* —4A **10**
Ballantyne Wlk. *Pren* —4A **10**
Ballard Rd. *Wir* —4H **15**
Ball Av. *Wall* —3E **3**
Balliol Clo. *Pren* —4A **10**
Balliol Ct. *Boot* —1E **5**
Balliol Gro. *Boot* —1E **5**
Balliol Rd. E. *Boot* —1F **5**
Balls Rd. *Pren* —3F **19**
Balls Rd. E. *Pren* —2G **19**
Balmoral Gdns. *Ell P* —4B **48**
Balmoral Gdns. *Pren* —6D **18**
Balmoral Rd. *Wall* —2F **3**
Baltic St. *Liv* —4H **5**
Baltimore St. *Liv* —5G **13**
Bamburgh Ct. *Ell P* —4C **48**
Banbury Way. *Pren* —5C **18**
Banff Av. *Wir* —6B **34**
Bangor Clo. *Gt Sut* —6A **46**
Bangor Rd. *Wall* —5C **2**
Bangor St. *Liv* —6E **5**
Bank Clo. *L Nes* —1E **43**
Bank Dene. *Birk* —1G **27**
Bankfields Dri. *Wir* —6F **35**
Bankfield St. *Liv* —3D **4**
Bankhall La. *Liv* —3E **5**
Bankhall St. *Liv* —3E **5**
Bankhey. *L Nes* —2D **42**
Bank's Av. *Wir* —5F **7**
Bankside Rd. *Birk* —1F **27**
Banks Rd. *Hes* —4H **29**
Banks Rd. *W Kir* —5C **14**
Banks, The. *Wall* —4C **2**
Bank St. *Liv* —1A **20**
Bankville Rd. *Birk* —4H **19**

Banning Clo. *Birk* —6H **11**
Barberry Clo. *Wir* —5B **8**
Barclay St. *Liv* —3H **21**
Barcombe Rd. *Wir* —2F **31**
Bardsay Rd. *Liv* —2H **5**
Bardsey Clo. *Ell P* —6A **48**
Barford Clo. *Pren* —1H **17**
Barford Grange. *Will* —5D **38**
Barker La. *Wir* —5C **16**
(in three parts)
Barker Rd. *Wir* —3B **24**
Barkis Clo. *Liv* —2H **21**
Barleyfield. *Wir* —5B **24**
Barleymow Clo. *Gt Sut* —5C **46**
Barlow Av. *Wir* —3G **27**
Barlow La. *Liv* —3G **5**
Barlow St. *Liv* —3G **5**
Barmouth Rd. *Wall* —5B **2**
Barmouth Way. *Liv* —5E **5**
Barnacre Dri. *Park* —3A **36**
Barnacre La. *Wir* —1C **16**
Barnard Dri. *Ell P* —4C **48**
Barnard Rd. *Pren* —2F **19**
Barncroft, The. *Wir* —3D **16**
Barnes Grn. *Wir* —1G **33**
Barnfield Clo. *Gt Sut* —5C **46**
Barnfield Clo. *Wir* —4G **7**
Barn Hey. *Wir* —2C **14**
Barn Hey Cres. *Wir* —5H **7**
Barnsdale Av. *Wir* —4D **24**
Barnston. —5E 25
Barnston Av. *Ell P* —2F **47**
Barnston La. *Wir* —4E **9**
Barnston Rd. *Hes & Thing* —2D **24**
Barnston Towers Clo. *Wir* —3E **31**
Barnwell Av. *Wall* —6F **3**
Barren Gro. *Pren* —3F **19**
Barrington Rd. *Wall* —2G **11**
Barr St. *Liv* —3E **5**
Barrymore Way. *Wir* —5H **33**
Barton Clo. *Wir* —1B **14**
Barton Hey Dri. *Wir* —3A **22**
Barton Rd. *Wir* —1B **14**
Baskervyle Clo. *Wir* —5C **30**
Baskervyle Rd. *Wir* —5C **30**
Basnett St. *Liv* —4F **13**
Bassendale Rd. *Croft B* —1C **34**
Bassenthwaite Av. *Pren* —2B **18**
Batchelor St. *Liv* —3E **13**
(in two parts)
Bath St. *Liv* —3D **12**
Bath St. *Wir* —4H **27**
Bathwood Dri. *L Nes* —2C **42**
Baumville Dri. *Wir* —1F **33**
Bayhorse La. *Liv* —3H **13**
Baysdale Clo. *Liv* —3H **21**
Bayswater Ct. *Wall* —5B **2**
Bayswater Gdns. *Wall* —4B **2**
Bayswater Rd. *Wall* —5B **2**
Baytree Clo. *Gt Sut* —6F **47**
Baytree Rd. *Birk* —4A **20**
Baytree Rd. *Wir* —5H **15**
Bay Vw. Dri. *Wall* —4B **2**
Beachcroft Rd. *Wir* —4G **7**
Beach Gro. *Wall* —4G **3**
Beach Rd. *Wir* —1B **14**
Beach Wlk. *Wir* —1A **22**
Beacon Ct. *Liv* —5H **5**
Beacon Dri. *Wir* —5E **15**
Beacon Ho. *Liv* —1G **13**
Beacon La. *Liv* —5H **5**
Beacon La. *Wir* —3C **30**
Beacon Pde. *Wir* —3C **30**
Beaconsfield Clo. *Birk* —4A **20**
Beaconsfield Rd. *Wir* —2H **27**
Beacons, The. *Wir* —4C **30**
Beasley Clo. *Gt Sut* —4D **46**
Beatles Story, The. —5E **13**
Beatrice Av. *Wir* —2E **27**
Beatrice St. *Boot* —2F **5**
Beatty Clo. *Wir* —3A **22**
Beaufort Dri. *Wall* —6C **2**
Beaufort Rd. *Birk* —4D **10**
Beaufort St. *Liv* —1G **21**
(Hill St.)
Beaufort St. *Liv* —2G **21**
(Northumberland St.)
Beaufort St. *Liv* —1G **21**
(Stanhope St.)
Beau La. *Liv* —1G **13**
Beaumaris Dri. *Pren* —2F **19**
Beaumaris Dri. *Ell P* —5B **48**
Beaumaris Dri. *Hes* —3D **24**

Beaumaris Rd. *Wall* —5B **2**
Beaumaris St. *Liv* —3D **4**
(in two parts)
Beau St. *Liv* —1G **13**
Beauworth Av. *Wir* —4C **16**
Bebington. —2H 27
Bebington Rd. *Beb* —3G **27**
Bebington Rd. *Birk* —5H **19**
Bebington Rd. *Gt Sut* —3D **46**
Bebington Rd. *New F & Port S*
(in two parts) —2G **27**
Beckenham Rd. *Wall* —2F **3**
Becket St. *Liv* —3F **5**
(in two parts)
Beckett Gro. *Wir* —2D **26**
Beckwith St. *Birk* —5F **11**
Beckwith St. *Liv* —5E **13**
Beckwith St. E. *Birk* —6H **11**
Bedford Av. *Birk* —6A **20**
Bedford Av. *Whitby* —5G **47**
Bedford Av. E. *Whitby* —5H **47**
Bedford Clo. *Edg H* —5H **13**
Bedford Ct. *Birk* —5B **20**
Bedford Dri. *Birk* —6H **19**
Bedford Pl. *Birk* —5C **20**
Bedford Pl. *Boot* —2D **4**
Bedford Rd. *Birk* —5B **20**
Bedford Rd. *Boot & Liv* —2E **5**
Bedford Rd. *Wall* —5F **3**
Bedford Rd. E. *Birk* —5C **20**
Bedford St. N. *Liv* —4H **13**
Bedford St. S. *Liv* —5H **13**
(in two parts)
Bedford Wlk. *Liv* —5H **13**
Beech Av. *Hes* —5C **24**
Beech Av. *Upt* —1D **16**
Beech Ct. *Birk* —3H **19**
Beechcroft Dri. *Whitby* —4H **47**
Beechcroft Rd. *Wall* —3G **11**
Beeches, The. *Birk* —6B **20**
Beeches, The. *Wir* —2E **9**
Beechfield Clo. *Wir* —4C **30**
Beechfield Rd. *Ell P* —2H **47**
Beech Gro. *Whitby* —6B **46**
Beech Hey La. *Will* —4D **38**
Beech Lodge. *Pren* —2B **18**
Beech Rd. *Beb* —2F **27**
Beech Rd. *Birk* —3G **19**
Beech St. *Hes* —3E **31**
Beechway. *Wir* —6F **27**
Beechways Dri. *Nest* —6B **36**
Beechwood. —5A 10
Beechwood Av. *Wall* —6C **2**
Beechwood Ct. *Wir* —6H **17**
Beechwood Dri. *Gt Sut* —6D **46**
Beechwood Rd. *Wir* —3A **34**
Beeston Clo. *Pren* —1A **18**
Beeston Dri. *Wir* —5B **24**
Beeston Grn. *Gt Sut* —2E **47**
Beeston St. *Liv* —2G **5**
Belfield St. *Pren* —4F **19**
Belford Dri. *Wir* —5B **8**
Belfry Clo. *Wir* —4B **8**
Belgrave Av. *Wall* —1G **11**
Belgrave Dri. *Ell P* —2F **47**
Belgrave St. *Wall* —6F **3**
Bellamy Rd. *Liv* —1G **5**
Belldene Gro. *Wir* —1B **30**
Belle Vw. Rd. *Wall* —3H **11**
Bellfield Cres. *Wall* —3E **3**
Bell Rd. *Wall* —2H **11**
Bellward Clo. *Wir* —1F **33**
Belmont. *Birk* —2G **19**
Belmont Av. *Wir* —2A **34**
Belmont Dri. *Wir* —6C **24**
Belmont Gro. *Pren* —2G **19**
Belmont Rd. *Wall* —2F **3**
Belmont Rd. *Wir* —4D **14**
Beloe St. *Liv* —3H **21**
Belvedere Ct. *Wir* —6G **17**
(off Childwall Grn.)
Belvidere Rd. *Wall* —5D **2**
Benbow St. *Boot* —1D **4**
Bendee Av. *L Nes* —6E **37**
Bendee Rd. *L Nes* —6D **36**
Benedict Ct. *Boot* —2F **5**
Benedict St. *Boot* —2F **5**
Bengel St. *Liv* —3H **13**
Benledi St. *Liv* —6F **5**
Bennet's La. *Wir* —3G **7**
Bennett Clo. *Will* —5C **38**
Bennetts Hill. *Pren* —3F **19**

Bennett Wlk. *Wir* —6B **24**
Ben Nevis Dri. *L Sut* —1H **45**
Ben Nevis Rd. *Birk* —5H **19**
Benson Clo. *Wir* —3F **17**
Benson St. *Liv* —4G **13**
Bentfield Clo. *Wir* —2D **26**
Bentfield Gdns. *Wir* —2D **26**
Bentham Clo. *Pren* —4C **18**
Bentinck Clo. *Birk* —1G **19**
Bentinck Pl. *Birk* —1G **19**
Bentinck St. *Birk* —1G **19**
Bentinck St. *Liv* —6D **4**
Bentley Rd. *Pren* —3F **19**
Bentley Rd. *Wir* —4B **24**
Benton Clo. *Liv* —5F **5**
Bent Way. *Wir* —2C **30**
Benty Clo. *Wir* —5E **27**
Benty Farm Gro. *Wir* —4C **24**
Benty Heath La. *Will* —2A **38**
Beresford Av. *Wir* —2G **27**
Beresford Clo. *Pren* —2E **19**
Beresford Clo. *Liv* —3H **21**
Beresford Rd. *Pren* —2D **18**
Beresford Rd. *Wall* —4D **2**
Beresford St. *Boot* —2D **4**
Beresford St. *Liv* —1G **13**
Bergen Clo. *Boot* —1G **5**
Berkeley Av. *Pren* —6D **18**
Berkeley Ct. *Wir* —6G **17**
(off Childwall Grn.)
Berkeley Dri. *Wall* —4G **3**
Berkley St. *Liv* —6H **13**
(in two parts)
Bermuda Rd. *Wir* —4C **8**
Bernard Av. *Wall* —4G **3**
Berner St. *Birk* —5H **11**
Berry Clo. *Gt Sut* —4C **46**
Berry Dri. *Gt Sut* —3C **46**
Berrylands Clo. *Wir* —4D **8**
Berrylands Rd. *Wir* —3D **8**
Berry St. *Boot* —1D **4**
Berry St. *Liv* —5G **13**
Berry St. Ind. Est. *Boot* —1D **4**
Bertha Gdns. *Birk* —5D **10**
Bertha St. *Birk* —5D **10**
Bertram Dri. *Wir* —5E **7**
Bertram Dri. N. *Wir* —5F **7**
Berwick Av. *Wir* —1G **39**
Berwick Clo. *Pren* —1A **18**
Berwick Clo. *Wir* —5B **8**
Berwick Gdns. *L Sut* —1B **46**
Berwick Gro. *L Sut* —1B **46**
Berwick Rd. *L Sut* —1H **45**
Berwyn Av. *Hoy* —6E **7**
Berwyn Av. *Thing* —3C **24**
Berwyn Boulevd. *Wir* —1E **27**
Berwyn Clo. *L Sut* —1A **46**
Berwyn Dri. *Wir* —1C **30**
Berwyn Rd. *Wall* —6G **3**
Beryl Rd. *Pren* —2A **18**
Bessborough Rd. *Pren* —3F **19**
Bessemer St. *Liv* —3H **21**
Beta Clo. *Wir* —2G **27**
Bethany Cres. *Wir* —4F **27**
Bettisfield Av. *Wir* —6B **34**
Beverley Dri. *Wir* —5D **30**
Beverley Gdns. *Wir* —3D **24**
Beverley Rd. *Wall* —5D **2**
Beverley Rd. *Wir* —1H **27**
Beverley Way. *L Sut* —6B **40**
Bevington Bush. *Liv* —2F **13**
Bevington Hill. *Liv* —1F **13**
Bevington St. *Liv* —1F **13**
Bevyl Rd. *Park* —3A **36**
Bewey Clo. *Liv* —3G **21**
Bianca St. *Boot* —2E **5**
Bickerstaffe St. *Liv* —2G **13**
Bickerton Av. *Wir* —1D **26**
Bidder St. *Liv* —2G **13**
Bidston. —5B 10
Bidston Av. *Birk* —6D **10**
Bidston Av. *Wall* —5C **2**
Bidston By-Pass. *Wir* —4H **9**
Bidston Ct. *Pren* —6C **10**
Bidston Golf Course. —2A **10**
Bidston Grn. *Gt Sut* —3D **46**
Bidston Grn. Ct. *Pren* —5A **10**
Bidston Grn. Dri. *Pren* —5A **10**
Bidston Ind. Est. *Wall* —2B **10**
Bidston Link Rd. *Pren* —3B **10**
Bidston Moss. *Wall* —2B **10**
Bidston Moss Nature Reserve.
—2A **10**

Bidston Observatory. —5B **10**
Bidston Rd. *Pren* —1C **18**
Bidston Sta. App. *Pren* —3A **10**
Bidston Vw. *Pren* —4A **10**
Bidston Village Rd. *Pren* —4H **9**
Big Mdw. Rd. *Wir* —3G **17**
Billings Clo. *Liv* —5E **5**
Binsey Clo. *Wir* —2D **16**
Birchall St. *Liv* —4E **5**
Birch Av. *Wir* —1D **16**
Birch Clo. *Pren* —4F **19**
Birch Ct. *Liv* —3H **21**
(off Weller Way)
Birchdale Clo. *Wir* —2D **16**
Birches Clo. *Wir* —3C **30**
Birches, The. *Nest* —3D **36**
Birches, The. *Wall* —3A **12**
Birchfield. *Wir* —6C **8**
Birchfield Clo. *Wir* —6C **8**
Birchfield Rd. *Walt* —1H **5**
Birchfield St. *Liv* —2G **13**
Birch Gro. *Wall* —4G **3**
Birch Gro. *Whitby* —6G **47**
Birch Heys. *Wir* —6A **16**
Birchmere. *Wir* —1A **30**
Birchridge Clo. *Wir* —1A **34**
Birch Rd. *Beb* —5G **27**
Birch Rd. *Meol* —5G **7**
Birch Rd. *Pren* —4F **19**
Birch St. *Liv* —6D **4**
Birchview Way. *Pren* —2B **18**
Birchway. *Hes* —6E **31**
Birchwood Av. *Birk* —6H **11**
Birchwood Clo. *Birk* —6H **11**
Birchwood Clo. *Gt Sut* —6D **46**
Birkdale Av. *Wir* —5A **34**
Birkenhead. —1B 20
Birkenhead Pk. —6E **11**
Birkenhead Pk. Cricket
Club Ground. —1F **19**
Birkenhead Pk. R. F.C. Ground.
—6E **11**
Birkenhead Priory Mus. —1B **20**
Birkenhead Rd. *Hoy & Meol* —5E **7**
Birkenhead Rd. *Wall* —4A **12**
Birkenhead Rd. *Will* —3H **37**
Birkenhead Town Hall. —1B **20**
Birket Av. *Wir* —2F **9**
Birket Clo. *Wir* —2G **9**
Birket Ho. *Birk* —6H **11**
Birket Sq. *Wir* —2G **9**
Birkett Av. *Ell P* —5A **48**
Birkett Rd. *Birk* —6A **20**
Birkett Rd. *Wir* —3D **14**
Birkett St. *Liv* —2G **13**
Birley Ct. *Liv* —6H **13**
Birnam Rd. *Wall* —2H **11**
Bishop Rd. *Wall* —3F **11**
Bishops Gdns. *Ell P* —2G **47**
Bishop Sheppard Ct. *Liv* —1E **13**
Bisley St. *Wall* —6F **3**
Bispham Dri. *Wir* —6G **7**
Bispham Rd. *Liv* —2F **13**
Bispham St. *Liv* —2F **13**
Bixteth St. *Liv* —3E **13**
Blackboards La. *Chil T* —6A **40**
Blackburne Pl. *Liv* —5H **13**
Blackburne Ter. *Liv* —5H **13**
Blackdown Clo. *L Sut* —2A **46**
Blackeys La. *Nest* —5C **36**
Blackfield St. *Liv* —5F **5**
Blackheath Dri. *Wir* —2F **9**
Black Horse Clo. *Wir* —4E **15**
Black Horse Hill. *Wir* —5E **15**
Black Lion La. *L Sut* —1B **46**
Blackpool St. *Birk* —2A **20**
Blackstock St. *Liv* —2E **13**
Blackstone St. *Liv* —5D **4**
Blackthorne Av. *Whitby* —6B **46**
Blackthorne Clo. *Wir* —6F **9**
Blair Pk. *Wir* —6H **27**
Blair St. *Liv* —6G **13**
Blakeley Brow. *Wir* —5G **33**
Blakeley Ct. *Wir* —5G **33**
Blakeley Dell. *Raby M* —5H **33**
Blakeley Dene. *Wir* —4H **33**
Blakeley Rd. *Wir* —4G **33**
Blakemere Ct. *Ell P* —2G **41**
Blakeney Clo. *Wir* —6G **9**
Blakenhall Way. *Wir* —1D **16**
Blaydon Wlk. *Pren* —1C **18**
Bleasdale Clo. *Wir* —1E **17**
Blenheim Rd. *Wall* —6H **3**

Blenheim St.—Burnley Clo.

Blenheim St. *Liv* —6E **5**
Blessington Rd. *Liv* —4H **5**
Bletchley Av. *Wall* —1D **10**
Bluebell Av. *Birk* —5D **10**
Bluecoat Chambers. *Liv* —4F **13**
Bluecoat Chambers Art Gallery.
　　　　　　—4F **13**
Bluefields St. *Liv* —6H **13**
Blue Planet Aquarium, The. —6B **48**
Bluewood Dri. *Birk* —4B **10**
Blundells Dri. *Wir* —4F **9**
Blundell St. *Liv* —6F **13**
Blyth Rd. *Wir* —4A **34**
Boathouse La. *Park* —3A **36**
Boat Mus. —2H **41**
Bodiam Ct. *Ell P* —5C **48**
Bodley St. *Liv* —4H **5**
Bodmin Rd. *Liv* —2H **5**
Bolde Way. *Wir* —2G **33**
Bold Pl. *Liv* —5G **13**
Bold St. *Liv* —4F **13**
Bollington Clo. *Pren* —4D **18**
Bolton Rd. *Wir* —4H **27**
Bolton Rd. E. *Wir* —3A **28**
Bolton St. *Liv* —4F **13**
Bond St. *Liv* —1F **13**
Border Rd. *Wir* —3D **30**
Borough Pavement. *Birk* —1H **19**
Borough Pl. *Birk* —1A **20**
Borough Rd. *Birk* —4G **19**
Borough Rd. *Wall* —2H **11**
　(in two parts)
Borough Rd. E. *Birk* —1A **20**
　(in two parts)
Borough Way. *Wall* —3A **12**
Borrowdale Rd. *Beb* —5E **27**
Borrowdale Rd. *More* —5D **8**
Bosnia St. *Liv* —4H **21**
Bostock Grn. *Ell P* —1F **47**
Bostock St. *Liv* —6F **5**
Boswell Rd. *Pren* —6D **18**
Bosworth Clo. *Wir* —1F **33**
Botley Clo. *Wir* —2D **16**
Boulevard, The. *Gt Sut* —2F **47**
Boulevard, The. *Liv* —1H **21**
Boulton Av. *New F* —1H **27**
Boulton Av. *W Kir* —3D **14**
Boundary La. *Wir* —3C **30**
Boundary Pk. *Park* —6B **36**
Boundary Rd. *Port S* —2H **27**
Boundary Rd. *Pren* —4B **10**
Boundary Rd. *W Kir* —1B **22**
Boundary St. *Liv* —5D **4**
Boundary St. E. *Liv* —5F **5**
Bousfield St. *Liv* —4G **5**
Bowdon Rd. *Wall* —5E **3**
Bower Ho. *Wir* —6F **9**
Bower Rd. *Wir* —4E **31**
Bowfell Clo. *Wir* —2F **39**
Bowgreen Clo. *Pren* —6A **10**
Bowland Clo. *Wir* —2A **34**
Bowness Av. *Pren* —5E **19**
Bowness Av. *Wir* —6A **34**
Bowood St. *Liv* —4H **21**
Bowring Dri. *Park* —4A **36**
Bowring St. *Liv* —3H **21**
Bowscale Clo. *Wir* —2E **17**
Boyd Clo. *Wir* —2H **9**
Brackendale. *Wir* —4A **18**
Bracken Dri. *Wir* —5G **15**
Brackenhurst Dri. *Wall* —4G **3**
Bracken La. *Wir* —4D **26**
Bracken Rd. *Gt Sut* —3E **47**
Brackenside. *Wir* —1B **30**
Brackenwood Golf Course. —5D **26**
Brackenwood Rd. *Wir* —6E **27**
Brackley Clo. *Wall* —2E **11**
Bradda Clo. *Wir* —6F **9**
Bradden Clo. *Wir* —1H **33**
Bradewell Clo. *Liv* —3G **5**
Bradewell St. *Liv* —3G **5**
Bradgate Clo. *Wir* —4B **8**
Bradman Rd. *Wir* —4C **8**
Bradmoor Rd. *Wir* —3B **34**
Bradshaw Pl. *Liv* —2H **13**
Bradwall Clo. *Whitby* —3G **47**
Bradwell Clo. *Wir* —5F **15**
Braehaven Rd. *Wall* —4G **3**
Braemar Ct. *Ell P* —4C **48**
Braemar St. *Liv* —2F **5**
Braemore Rd. *Wall* —1D **10**
Braeside Clo. *Gt Sut* —2C **46**
Braeside Gdns. *Wir* —2F **17**

Braid St. *Birk* —5H **11**
Bramble Av. *Birk* —5D **10**
Bramble Way. *Wir* —3D **8**
Bramblewood Clo. *Pren* —3B **18**
Bramerton Ct. *Wir* —4C **14**
Bramford Clo. *Wir* —2E **17**
Bramhall Clo. *Wir* —6F **15**
Bramhall Dri. *Wir* —2H **39**
Bramley Av. *Wir* —2E **27**
Bramley Clo. *Gt Sut* —6A **46**
Brampton Dri. *Liv* —5H **13**
Bramwell Av. *Pren* —6E **19**
Brancepeth Ct. *Ell P* —4B **48**
Brancote Ct. *Pren* —1C **18**
Brancote Gdns. *Wir* —4B **34**
Brancote Mt. *Pren* —1D **18**
Brancote Rd. *Pren* —1D **18**
Brandon St. *Birk* —1B **20**
Bran St. *Liv* —2G **21**
Brasenose Rd. *Boot & Liv* —1D **4**
Brassey St. *Birk* —5E **11**
Brassey St. *Liv* —1G **21**
Brattan Rd. *Birk* —3G **19**
Braunton Rd. *Wall* —5E **3**
Bray St. *Birk* —4F **11**
Breckfield Pl. *Liv* —6H **5**
Breckfield Rd. N. *Liv* —5H **5**
Breck Pl. *Wall* —2E **11**
Breck Rd. *Eve & Anf* —1H **13**
Breck Rd. *Wall* —1D **10**
Breckside Av. *Wall* —1C **10**
Breck, The. *Ell P* —6E **41**
Brecon Dri. *Gt Sut* —6E **47**
Brecon Rd. *Birk* —6G **19**
Bredon Clo. *L Sut* —1A **46**
Breeze Hill. *Boot & Liv* —1F **5**
Breezehill Clo. *Nest* —5C **36**
Breezehill Pk. *Nest* —5D **36**
Breezehill Rd. *Nest* —5D **36**
Breeze La. *Liv* —1H **5**
Brenig St. *Birk* —4D **10**
Brentwood Ct. *Wir* —5G **17**
　(off Childwall Grn.)
Brentwood St. *Wall* —2G **11**
Brereton Av. *Wir* —3G **27**
Brett St. *Birk* —5F **11**
Brewster St. *Liv & Boot* —2G **5**
Brian Av. *Wir* —3B **24**
Briardale Gdns. *L Sut* —1C **46**
Briardale Rd. *Beb* —2F **27**
Briardale Rd. *Birk* —3G **19**
Briardale Rd. *L Sut* —1C **46**
Briardale Rd. *Wall* —3A **12**
Briardale Rd. *Wall* —4C **38**
Briar Dri. *Wir* —6G **3**
Briarfield Rd. *Ell P* —2H **47**
Briarfield Rd. *Hes* —3D **30**
Briar St. *Liv* —4F **5**
Briarswood Clo. *Birk* —1F **27**
Briary Clo. *Wir* —2D **30**
Brick St. *Liv* —6F **13**
Bride St. *Liv* —5H **5**
Bridge Ct. *Nest* —6C **36**
Bridge Ct. *Wir* —4C **14**
Bridgecroft Rd. *Wall* —5F **3**
Bridge Farm Clo. *Wir* —3H **17**
Bridge Mdw. *Gt Sut* —5F **47**
Bridgenorth Rd. *Wir* —5A **24**
Bridge Rd. *Wir* —4C **14**
Bridges Rd. *Ell P* —2D **48**
Bridge St. *Birk* —6A **12**
　(in two parts)
Bridge St. *Boot* —1D **4**
Bridge St. *Nest* —6C **36**
Bridge St. *Port S* —4H **27**
　(in two parts)
Bridgewater St. *Liv* —6F **13**
Bridge Wood Dri. *Gt Sut* —5C **46**
Bridle Av. *Wall* —3A **12**
Bridle Clo. *Pren* —1H **17**
Bridle Clo. *Wir* —4C **34**
Bridle Pk. *Brom* —4B **34**
Bridle Rd. *Brom & East* —4C **34**
Bridle Rd. *Wall* —3A **12**
Bridle Way. *Gt Sut* —4D **46**
Bridport St. *Liv* —3G **13**
Briedden Way. *L Sut* —1A **46**
Brighton St. *Wall* —1H **11**
Bright St. *Birk* —1G **19**
　(in two parts)
Bright St. *Liv* —2H **13**
Bright Ter. *Liv* —4H **21**
Brightwell Clo. *Wir* —3F **17**

Brill St. *Birk* —5F **11**
Brimstage. —1B **32**
Brimstage Av. *Wir* —1D **26**
Brimstage Clo. *Wir* —4E **31**
Brimstage Grn. *Wir* —3F **31**
Brimstage La. *Wir* —5B **26**
Brimstage Rd. *Beb & High B* —1E **33**
Brimstage Rd. *Hes & Brim* —4E **31**
　(in two parts)
Brimstage Rd. *Liv* —1G **5**
Brimstage St. *Birk* —2G **19**
Brindley St. *Liv* —1F **21**
Brinley Clo. *Wir* —6B **34**
Brisbane Av. *Wall* —3E **3**
Briscoe Av. *Wir* —6E **9**
Briscoe Dri. *Wir* —6E **9**
Bristol Av. *Wall* —1G **11**
Bristol Dri. *Gt Sut* —6E **47**
Britannia Cres. *Liv* —4H **21**
Britannia Pavilion. *Liv* —5E **13**
Britannia Rd. *Wall* —6E **3**
Broadbelt St. *Liv* —1H **5**
Broadfield Av. *Pren* —6A **10**
Broadfield Clo. *Pren* —6A **10**
Broadheath Av. *Pren* —6A **10**
Broadlake. *Will* —5B **38**
Broadland Gdns. *Gt Sut* —5F **47**
Broadland Rd. *Gt Sut* —5F **47**
Broad La. *Hes* —2G **29**
Broadmead. *Wir* —4E **31**
Broadstone Dri. *Wir* —1F **33**
Broadway. *Beb* —2D **26**
Broadway. *Grea* —2E **17**
Broadway. *Wall* —6D **2**
Broadway Av. *Wall* —6D **2**
Brockley Av. *Wall* —2F **3**
Brockmoor Tower. *Liv* —3F **5**
Brock St. *Liv* —3G **5**
Bromborough. —2C **34**
Bromborough Dock Est. *Wir* —3A **28**
Bromborough Golf Course. —6G **33**
Bromborough Pool. —4B **28**
Bromborough Port. —5D **28**
Bromborough Rd. *Wir* —4G **27**
Bromborough Village Rd. *Wir*
　　　　　　—2B **34**
Brome Way. *Wir* —1H **33**
Bromley Clo. *Wir* —4D **10**
Bromley Rd. *Wall* —4E **3**
Brompton Av. *Wall* —1G **11**
Brompton Way. *Gt Sut* —6E **47**
Bromsgrove Rd. *Wir* —3C **16**
Bronington Av. *Wir* —5B **34**
Bronte St. *Liv* —3G **13**
Brook Clo. *Wall* —6G **3**
Brookdale Av. N. *Wir* —3E **17**
Brookdale Av. S. *Wir* —3E **17**
Brookdale Clo. *Wir* —3E **17**
Brookfield Gdns. *Wir* —5D **14**
Brookfield Rd. *Wir* —5D **14**
Brook Hey. *Park* —3A **36**
Brookhurst. —6A **34**
Brookhurst Av. *Wir* —5A **34**
Brookhurst Clo. *Wir* —6A **34**
Brookhurst Rd. *Wir* —5A **34**
Brookland Rd. *Birk* —2H **19**
Brooklands. *Birk* —6H **11**
Brooklands Gdns. *Park* —4A **36**
Brooklands Rd. *Park* —4A **36**
Brook La. *Park* —3A **36**
Brooklet Rd. *Wir* —2A **24**
Brooklyn Dri. *Gt Sut* —2F **47**
Brook Mdw. *Wir* —2A **24**
Brook Rd. *Gt Sut* —2D **46**
Brooks All. *Liv* —4F **13**
Brookside Cres. *Wir* —2D **16**
Brookside Dri. *Wir* —2E **17**
Brook St. *Birk* —5G **11**
Brook St. *Liv* —3D **12**
Brook St. *Nest* —5C **36**
Brook St. *Wir* —3G **27**
Brook St. E. *Birk* —6A **12**
Brook Ter. *Wir* —5D **14**
Brookthorpe Clo. *Wall* —5F **3**
Brook Wlk. *Wir* —2H **23**
Brookway. *Nor C* —6C **18**
Brookway. *Wall* —6E **3**
Brookway. *Wir* —2E **17**
Brook Well. *L Nes* —2C **42**
Broomfield Clo. *Wir* —2H **29**
Broom Hill. *Pren* —6D **10**
Broomlands. *Wir* —3B **30**
Broomleigh Clo. *Wir* —4D **26**

Broseley Av. *Wir* —2A **34**
Broster Av. *Wir* —5C **8**
Broster Clo. *Wir* —5C **8**
Brosters La. *Wir* —4G **7**
Brotherton Clo. *Wir* —2A **34**
Brotherton Pk. —1A **34**
Brotherton Rd. *Wall* —3A **12**
Brougham Av. *Birk* —3B **20**
Brougham Rd. *Wall* —2H **11**
Brougham Ter. *Liv* —2H **13**
Broughton Av. *Wir* —4C **14**
Broughton Rd. *Wall* —2F **11**
Brow La. *Wir* —4B **30**
Browning Av. *Birk* —6B **20**
Browning Dri. *Gt Sut* —3F **47**
Browning Grn. *Gt Sut* —3F **47**
Browning Rd. *Wall* —6B **2**
Brownlow Hill. *Liv* —4G **13**
Brownlow Rd. *Wir* —2H **27**
Brownlow St. *Liv* —4H **13**
Brow Rd. *Pren* —4B **10**
Brow Side. *Liv* —1H **13**
Broxton Av. *Pren* —5D **18**
Broxton Av. *Wir* —4E **15**
Broxton Rd. *Ell P* —2E **47**
Broxton Rd. *Wall* —5D **2**
Bruce Cres. *Wir* —5A **34**
Bruce Dri. *Gt Sut* —3C **46**
Bruce St. *Liv* —2H **21**
Bruera Rd. *Gt Sut* —3F **47**
Brunsborough Clo. *Wir* —5A **34**
Brunsfield Clo. *Wir* —6C **8**
Brunstath Clo. *Wir* —2E **31**
Brunswick Bus. Pk. *Brun B* —3G **21**
Brunswick Clo. *Liv* —3G **5**
Brunswick Cres. *Gt Sut* —4E **47**
Brunswick M. *Birk* —6A **12**
Brunswick Pl. *Liv* —3D **4**
Brunswick Rd. *Liv* —2H **13**
Brunswick St. *Liv* —4D **12**
Brunswick Way. *Brun B* —2F **21**
Bryanston Rd. *Birk* —5E **19**
Bryn Bank. *Wall* —1G **11**
Brynmoss Av. *Wall* —1D **10**
Bryony Way. *Birk* —1F **27**
Brythen St. *Liv* —4F **13**
Buccleuch St. *Birk* —4D **10**
Buccleuch Way. *Birk* —4D **10**
Buchanan Rd. *Liv* —1H **5**
Buchanan Rd. *Wall* —1G **11**
Buckingham Av. *Pren* —6D **10**
Buckingham Av. *Wir* —2E **27**
Buckingham Gdns. *Ell P* —5B **48**
Buckingham Rd. *Wall* —1D **10**
Buckingham St. *Liv* —6G **5**
Buckland Dri. *Wir* —1F **33**
Bude Clo. *Pren* —1A **18**
Budworth Clo. *Pren* —3C **18**
Budworth Ct. *Pren* —2D **18**
Budworth Rd. *Gt Sut* —5E **47**
Budworth Rd. *Pren* —3C **18**
Buerton Clo. *Pren* —3C **18**
Buffs La. *Wir* —2D **30**
Buggen La. *Nest* —5B **36**
Buildwas Rd. *Clay L* —3C **36**
Bulkeley Rd. *Wall* —2H **11**
Bullens Rd. *Walt* —3H **5**
Bull Hill. *L Nes* —1D **42**
Bullrush Dri. *Wir* —3G **9**
Bulrushes, The. *Liv* —4H **21**
Bulwer St. *Birk* —5B **20**
Bunbury Grn. *Ell P* —5B **48**
Bungalows, The. *Wir* —5B **32**
　(off Raby Rd.)
Burbo Way. *Wall* —3C **2**
Burden Rd. *Wir* —5C **8**
Burdett Av. *Wir* —1F **33**
Burdett Clo. *Wir* —1G **33**
Burdett Rd. *Gt Sut* —5E **47**
Burdett Rd. *Wall* —6B **2**
Burford Av. *Wall* —2D **10**
Burgess St. *Liv* —3G **13**
Burleigh M. *Liv* —4H **5**
Burleigh Rd. N. *Liv* —4H **5**
Burleigh Rd. S. *Liv* —5H **5**
Burlingham Av. *Wir* —6F **15**
Burlington Rd. *Wall* —6B **2**
Burlington St. *Birk* —1A **20**
Burlington St. *Liv* —1E **13**
Burnand St. *Liv* —4H **5**
Burnell Rd. *Ell P* —3C **48**
Burnley Av. *Wir* —5F **9**
Burnley Clo. *Liv* —1H **13**

Burnley Rd. *Wir* —4F **9**
Burns Av. *Wall* —6E **3**
Burns Clo. *Gt Sut* —3E **47**
Burnside Av. *Wall* —3F **11**
Burnside Rd. *Wall* —3F **11**
Burrell Clo. *Birk* —6G **19**
Burrell Ct. *Birk* —6G **19**
Burrell Dri. *Wir* —6D **8**
Burrell Rd. *Birk* —1B **26**
Burrell St. *Liv* —3H **5**
Burroughs Gdns. *Liv* —1F **13**
Burrows Ct. *Liv* —6E **5**
Burton. —6H 43
Burton Av. *Wall* —6C **2**
Burton Clo. *Liv* —5F **13**
Burton Grn. *Gt Sut* —3D **46**
Burton Rd. *L Nes & Ness* —6C **36**
Burton St. *Liv* —5D **4**
Busby's Cotts. *Wall* —3F **3**
Bushell Clo. *Nest* —6D **36**
Bushell Rd. *Nest* —6D **36**
Bush Way. *Wir* —3A **30**
Bute St. *Liv* —1G **13**
(in two parts)
Buttercup Clo. *Wir* —3G **9**
Butterfield St. *Liv* —4H **5**
Buttermere Av. *Ell P* —4A **48**
Buttermere Av. *Pren* —1A **18**
Buttermere Ct. Birk —2G 19
(off Penrith St.)
Butterton Av. *Wir* —1D **16**
Button St. *Liv* —4E **13**
Buxton La. *Wall* —6C **2**
Buxton Rd. *Birk* —5C **20**
Byerley St. *Wall* —3H **11**
Byles St. *Liv* —3H **21**
Byng St. *Mil B* —1D **4**
Byrne Av. *Birk* —6B **20**
Byrom St. *Liv* —2F **13**
Byrom Way. *Liv* —2F **13**
Byron Clo. *Pren* —1H **25**

Cable Rd. *Wir* —6D **6**
Cable Rd. S. *Wir* —1D **14**
Cable St. *Liv* —4E **13**
Cadmus Wlk. *Liv* —1H **13**
Caernarvon Clo. *Wir* —1G **17**
Caernarvon Ct. *Ell P* —5B **48**
Caernarvon Ct. *Wir* —5F **27**
Caerwys Gro. *Birk* —3A **20**
Cains Brewery. —6F **13**
Caird St. *Liv* —2H **13**
Cairo St. *Liv* —2G **5**
Caithness Dri. *Wall* —5G **3**
Caithness Gdns. *Pren* —6D **18**
Calday Grange Clo. *Wir* —6F **15**
Caldbeck Rd. *Croft B* —1B **34**
Calder Av. *Pren* —5D **18**
Calder Clo. *Liv* —5H **5**
Calder Rd. *Wir* —4D **8**
Calder St. *Liv* —5G **5**
Calder Way. *Gt Sut* —2C **46**
Caldicott Av. *Wir* —4B **34**
Caldwell Dri. *Wir* —5H **17**
Caldy. —2B 22
Caldy Chase Dri. *Wir* —2B **22**
Caldy Ct. *Wir* —6D **14**
Caldy Dri. *Gt Sut* —3D **46**
Caldy Golf Course. —4B **22**
Caldy Rd. *Wall* —6F **3**
Caldy Rd. *Wir* —6D **14**
Caldy Wood. *Wir* —2B **22**
Caledonia St. *Liv* —5H **13**
Callaghan Clo. *Liv* —6F **5**
Calmet Clo. *Liv* —5G **5**
Calne Clo. *Wir* —2H **23**
Calthorpe Way. *Pren* —1B **18**
Calveley Av. *Wir* —1H **39**
Calveley Clo. *Pren* —4D **18**
Cambrian Clo. *L Sut* —1A **46**
Cambrian Clo. *Wir* —6C **8**
Cambrian Rd. *Wir* —6C **8**
Cambridge Ct. *Liv* —5H **13**
Cambridge Rd. *Birk* —5F **19**
Cambridge Rd. *Boot* —1F **5**
Cambridge Rd. *Brom* —3C **34**
Cambridge Rd. *Ell P* —2A **48**
Cambridge Rd. *Wall* —4F **3**
Cambridge Rd. *Wir* —4H **13**
(in three parts)
Camden Rd. *Ell P* —2G **47**
Camden St. *Birk* —6A **12**

Camden St. *Liv* —3G **13**
Camellia Ct. *Liv* —5H **21**
Cameron Rd. *Wir* —2H **9**
Cammell Ct. *Pren* —1F **19**
Campbell St. *Liv* —5F **13**
Campbeltown Rd. *Birk* —2B **20**
Camperdown St. *Birk* —1B **20**
Canada Boulevd. *Liv* —4D **12**
Canal Ct. *Ell P* —1G **41**
Canalside. *Ell P* —1B **48**
Canalside Gro. *Liv* —6E **5**
Canal St. *Boot* —1D **4**
(in two parts)
Candia Towers. *Liv* —5G **5**
Canning Pl. *Liv* —4E **13**
(in two parts)
Canning St. *Birk* —6A **12**
Canning St. *Liv* —5H **13**
Cannon Hill. *Pren* —1F **19**
Cannon Mt. *Pren* —1F **19**
Cannon St. *Ell P* —2G **47**
Canterbury Clo. *Gt Sut* —6A **46**
Canterbury Rd. *Birk* —6C **20**
Canterbury Rd. *Wall* —2G **11**
Canterbury St. *Liv* —2G **13**
Canterbury Way. *Liv* —2G **13**
Capenhurst Gdns. *Gt Sut* —6D **46**
Capenhurst La. *Cap* —6C **46**
Capenhurst La. *Whitby* —4F **47**
Carden Clo. *Wir* —4G **5**
Cardiff Clo. *Gt Sut* —6A **46**
Cardigan Av. *Birk* —1H **19**
Cardigan Rd. *Wall* —4F **3**
Cardus Clo. *Wir* —5B **8**
Carey Av. *Wir* —3D **26**
Cargill Gro. *Birk* —1H **27**
Carham Rd. *Hoy* —1E **15**
Carisbrooke Clo. *Wir* —1A **22**
Carisbrooke Rd. *Boot & Liv* —1G **5**
Carlaw Rd. *Birk* —5E **19**
Carlett Boulevd. *Wir* —6D **34**
Carlett Pk. *Wir* —5D **34**
Carlisle Clo. *Pren* —2G **19**
Carlisle M. *Pren* —2G **19**
Carlton Clo. *Park* —3A **36**
Carlton Cres. *Ell P* —5F **41**
Carlton La. *Wir* —5E **7**
Carlton Mt. *Birk* —4A **20**
Carlton Rd. *Birk* —3G **19**
Carlton Rd. *Wall* —3F **3**
Carlton Rd. *Wir* —5H **27**
Carlton St. *Liv* —1D **12**
Carlton Ter. *Wall* —5E **7**
Carlyle Cres. *Gt Sut* —3E **47**
Carmarthen Cres. *Liv* —1F **21**
Carmel Clo. *Wall* —3F **3**
Carmel St. *Liv* —5G **5**
Carmichael Av. *Wir* —5D **16**
Carnarvon Ct. *Liv* —1H **5**
Carnforth Clo. *Birk* —2G **19**
Carnoustie Clo. *Wir* —4B **8**
Carnsdale Rd. *Wir* —5F **9**
Carol Dri. *Wir* —3E **31**
Caroline Pl. *Pren* —2F **19**
Carpenter's La. *Wir* —5D **14**
Carpenters Row. *Liv* —5E **13**
Carr Bri. Rd. *Wir* —3H **17**
Carr Ga. *Wir* —5B **8**
Carr Hey. *Wir* —5B **8**
Carr Hey Clo. *Wir* —5A **18**
Carr Ho. La. *Wir* —5B **8**
Carrick Dri. *Whitby* —5H **47**
Carrington Rd. *Wall* —5F **3**
Carrington St. *Birk* —5E **11**
Carr La. *Hoy* —1D **14**
Carr La. *Meol & More* —4A **8**
Carr La. *W Kir* —2F **15**
Carr La. Ind. Est. *Hoy* —1E **15**
Carrock Rd. *Croft B* —1C **34**
Carrow Clo. *Wir* —6B **8**
Carruthers St. *Liv* —2E **13**
Carsgoe Rd. *Hoy* —1E **15**
Carsthorne Rd. *Hoy* —1E **15**
Carters, The. *Wir* —3C **16**
Carter St. *Liv* —6H **13**
Carterton Rd. *Hoy* —1E **15**
Cartmel Clo. *Birk* —2G **19**
Cartmel Dri. *Gt Sut* —5F **47**
Cartmel Dri. *Wir* —6E **9**
Carver St. *Liv* —2H **13**
Caryl Gro. *Liv* —3G **21**
Caryl St. *Liv* —2G **21**
(Park St.)

Caryl St. *Liv* —1F **21**
(Stanhope St.)
Caryl St. *Liv* —2F **21**
(Warwick St.)
Cases St. *Liv* —4F **13**
Cashel Rd. *Birk* —3F **11**
Cassio St. *Boot* —1G **5**
Castle Clo. *Wir* —2G **9**
Castle Dri. *Hes* —3B **30**
Castle Dri. *Whitby* —4G **47**
Castle Fields Est. *Wir* —1F **9**
Castleford Ri. *Wir* —2E **9**
Castlegrange Clo. *Wir* —1E **9**
Castleheath Clo. *Wir* —2E **9**
Castle Hill. Liv —4E 13
(off Lwr. Castle St.)
Castle Mt. *Hes* —3B **30**
Castle Rd. *Wall* —5E **3**
Castle St. *Birk* —1B **20**
Castle St. *Liv* —4E **13**
Castleway N. *Wir* —1G **9**
Castleway S. *Wir* —2G **9**
Catharine St. *Liv* —6H **13**
Cathcart St. *Birk* —6H **11**
Cathedral Clo. *Liv* —6G **13**
Cathedral Ga. *Liv* —5G **13**
Cathedral Wlk. *Liv* —6G **13**
Catherine St. *Birk* —1H **19**
Caulfield Dri. *Wir* —4E **17**
Causeway Clo. *Wir* —3H **27**
Causeway, The. *Wir* —4H **27**
(in two parts)
Cavell Dri. *Whitby* —3G **47**
Cavendish Ct. *Liv* —2G **5**
Cavendish Dri. *Birk* —6H **19**
Cavendish Gdns. *Whitby* —3G **47**
Cavendish Rd. *Birk* —6F **11**
Cavendish Rd. *Wall* —2F **3**
Cavendish St. *Birk* —5F **11**
Cavern Quarter. —4E **13**
Cavern Walks. *Liv* —4E **13**
Cawood Clo. *L Sut* —2B **46**
Caxton Clo. *Gt Sut* —3F **47**
Caxton Clo. *Pren* —1A **18**
Cazneau St. *Liv* —1F **13**
Cearns Rd. *Pren* —2E **19**
Cecil Rd. *Liv* —5F **19**
Cecil Rd. *Wall* —1H **5**
Cecil Rd. *Wir* —1H **27**
Cedab Rd. *Ell P* —1A **48**
Cedar Av. *Beb* —5E **27**
Cedar Av. *L Sut* —1C **46**
Cedardale Dri. *Whitby* —6A **46**
Cedar Gro. *Nest* —5D **36**
Cedars, The. *Wir* —6C **8**
Cedar St. *Birk* —2H **19**
Cedarway. *Wir* —6D **30**
Cedarwood Clo. *Wir* —3C **16**
Celia St. *Liv* —2F **5**
Celtic Rd. *Wir* —4G **7**
Celtic St. *Liv* —1H **21**
Cemaes Clo. *Liv* —6E **5**
Central Av. *Ell P* —3A **48**
Central Av. *Wir* —2A **34**
Central Library. —3F **13**
Central Pk. —2F **11**
Central Pk. Av. *Wall* —1G **11**
Central Rd. *Port S* —5H **27**
Central Rd. *Wir* —2H **27**
Central Shop. Cen. *Liv* —4F **13**
Centurion Clo. *Wir* —4G **7**
Centurion Dri. *Wir* —4G **7**
Ceres Ct. *Pren* —6A **10**
Ceres St. *Liv* —2E **5**
Cestrian Dri. *Wir* —4C **24**
Chadwick St. *Liv* —1D **12**
Chadwick St. *Wir* —5E **9**
Chalfield Av. *Gt Sut* —2C **46**
Chalfield Clo. *Gt Sut* —2C **46**
Chalkwell Dri. *Wir* —4E **31**
Challis St. *Birk* —4C **10**
Chaloner St. *Liv* —6F **13**
Chamberlain St. *Birk* —3A **20**
Chamberlain St. *Wall* —3E **11**
Chancel St. *Liv* —4F **5**
Change La. *Will* —5D **38**
Channel, The. *Wall* —4C **2**
Chantrell Rd. *Wir* —5G **15**
Chantry Clo. *Pren* —1A **18**
Chantry Wlk. *Wir* —5C **30**
Chapel Clo. *Ell P* —2G **41**
Chapel Gdns. *Liv* —6F **5**
Chapelhill Rd. *Wir* —5F **9**

Chapel M. *Whitby* —3H **47**
Chapel Rd. *Wir* —5E **7**
Chapel St. *Liv* —3D **12**
Chapel Ter. *Boot* —1D **4**
Chapel Walks. Liv —3D 12
(off Chapel St.)
Chapman Clo. *Liv* —2G **21**
Chapterhouse Clo. *Ell P* —2C **48**
Charing Cross. *Birk* —1G **19**
Charlcombe St. *Birk* —3H **19**
Charlecote St. *Liv* —4H **21**
Charles Price Gdns. *Ell P* —1A **48**
Charles Rd. *Hoy* —1D **14**
Charles St. *Birk* —6H **11**
Charleston Clo. *Gt Sut* —4D **46**
Charleston Rd. *Liv* —3G **21**
Charlesville. *Pren* —2F **19**
Charlesville Ct. *Pren* —2F **19**
Charlotte Rd. *Wall* —6G **3**
Charlotte's Mdw. *Wir* —5G **27**
Charlotte Way. Liv —4F 13
(off St Johns Cen.)
Charlton Ct. *Pren* —1D **18**
Charlwood Clo. *Pren* —1A **18**
Charter Cres. *Gt Sut* —4E **47**
Charter Ho. *Wall* —1H **11**
Chase Dri. *Gt Sut* —5E **47**
Chase, The. *Wir* —6A **34**
Chase Way. *Gt Sut* —5E **47**
Chase Way. *Liv* —1G **13**
Chatburn Wlk. *Liv* —3H **21**
Chatham Rd. *Birk* —5C **20**
Chatham St. *Liv* —5H **13**
Chatsworth Av. *Wall* —1G **11**
Chatsworth Clo. *Gt Sut* —2D **46**
Chatsworth Rd. *Birk* —5C **20**
Chatsworth Rd. *Wir* —4B **24**
Chaucer St. *Liv* —2F **13**
Chavasse Pk. —4E **13**
Cheapside. *Liv* —3E **13**
Cheapside All. Liv —3E 13
(off Cheapside)
Cheddon Way. *Wir* —5A **24**
Chelford Clo. *Pren* —6A **10**
Chelmsford Clo. *Liv* —4F **5**
Cheltenham Cres. *Wir* —2E **9**
Cheltenham Rd. *Ell P* —4B **48**
Cheltenham Rd. *Wall* —5C **2**
Chenotrie Gdns. *Pren* —2B **18**
Chepstow Av. *Wall* —1G **11**
Chepstow St. *Liv* —2G **5**
Cheriton Av. *Wir* —5F **15**
Cherrybank. *Wall* —3F **11**
Cherry Brow Ter. Will —5B 38
(off Green, The)
Cherry Clo. *Nest* —5G **37**
Cherry Gro. *Whitby* —6G **47**
Cherry Sq. *Wall* —1F **11**
Cherry Tree Rd. *Wir* —6F **9**
Cheshire Acre. *Wir* —5G **17**
Cheshire Gro. *Wir* —6E **9**
Cheshire Oaks Outlet Village. *Ell P* —5C **48**
Chesney Clo. *Liv* —6B **24**
Chesnut Gro. *Birk* —3H **19**
Chester Ct. *Wir* —5F **27**
Chesterfield Rd. *Wir* —1F **39**
Chesterfield St. *Liv* —5H **13**
Chester High Rd. *Burt & Nest* —6F **31**
Chester Rd. *Chil T & L Sut* —4A **40**
Chester Rd. *Gt Sut & Back* —3D **46**
Chester Rd. *Hes* —4D **30**
Chester Rd. *Nest* —6C **36**
Chester Rd. *Whitby* —6B **46**
Chester St. *Birk* —2B **20**
Chester St. *Liv* —6G **13**
Chester St. *Wall* —2E **11**
Chestnut Av. *Gt Sut* —6F **47**
Chestnut Clo. *Wir* —6C **16**
Chestnut Gro. *Brom* —3A **34**
Chestnut St. *Liv* —4H **13**
Cheswood Ct. Wir —6G 17
(off Childwall Grn.)
Chetwynd Clo. *Pren* —3D **18**
Chetwynd Rd. *Pren* —2E **19**
Cheverton Clo. *Wir* —4H **17**
Cheviot Clo. *Wir* —4H **9**
Cheviot Clo. *L Sut* —1A **46**
Cheviot Rd. *Birk* —6G **19**
Chidden Clo. *Wir* —4C **16**
Childer Cres. *L Sut* —6B **40**

Childer Gdns.—Crocus Av.

Childer Gdns. *L Sut* —6B **40**
Childer Thornton. —5A 40
Childwall Av. *Wir* —6D **8**
Childwall Clo. *Wir* —6D **8**
Childwall Ct. *Ell P* —5F **41**
Childwall Gdns. *Ell P* —5F **41**
Childwall Grn. *Wir* —5G **17**
Childwall Rd. *Ell P* —5F **41**
Chilhem Clo. *Liv* —4D **14**
Chillingham St. *Liv* —3H **21**
Chiltern Rd. *Birk* —6G **19**
Chilton Dri. *Gt Sut* —5E **47**
China Farm La. *Wir* —3G **15**
Chippenham Av. *Wir* —3C **16**
Chirkdale St. *Liv* —2G **5**
Chirk Gdns. *Ell P* —4B **48**
Chirk Way. *Wir* —6F **9**
Chisenhale St. *Liv* —1E **13**
Cholmondeley Rd. *Gt Sut* —3F **47**
Cholmondeley Rd. *W Kir* —5D **14**
Cholsey Clo. *Wir* —3F **17**
Chorley Way. *Wir* —2G **33**
Chorlton Gro. *Wall* —6B **2**
Christchurch Rd. *Pren* —3F **19**
Christian St. *Liv* —2F **13**
Christie Clo. *Hoot* —3A **40**
Christleton Clo. *Pren* —5B **18**
Christleton Dri. *Ell P* —1E **47**
Christmas St. *Liv* —2E **5**
 (Brasenose Rd.)
Christmas St. *Liv* —2F **5**
 (Stanley Rd.)
Christopher Dri. *Wir* —6E **35**
Christophers Clo. *Wir* —5C **24**
Christopher St. *Liv* —3H **5**
Church All. *Liv* —4F **13**
Church Clo. *Wall* —1H **11**
Church Cres. *Wall* —3A **12**
Church Dri. *Wir* —3H **27**
Church Farm Ct. *Will* —5B **38**
Church Farm Ct. *Wir* —4B **30**
Church Flats. *Liv* —1H **5**
Church Gdns. *Wall* —1H **11**
Church Hill. *Wall* —6D **2**
Churchill Av. *Birk* —6F **11**
Churchill Ct. *Nest* —5C **36**
Churchill Gro. *Wall* —6G **3**
Churchill Way. *Nest* —5C **36**
Churchill Way N. *Liv* —3F **13**
Churchill Way S. *Liv* —3F **13**
Churchlands. *Wall* —3A **12**
 (off Bridle Rd.)
Church La. *East* —6E **35**
Church La. *Gt Sut* —3D **46**
Church La. *Nest* —6C **36**
Church La. *Thur* —4F **23**
Church La. *Upt* —5H **17**
Church La. *Wall* —1H **11**
 (in two parts)
Church La. *Walt* —1H **5**
Church La. *Wir* —2B **34**
Churchmeadow Clo. *Wall* —1H **11**
Church Mdw. La. *Wir* —4A **30**
Church Pde. *Ell P* —1A **48**
Church Rd. *Beb* —6G **27**
Church Rd. *Birk* —4H **19**
Church Rd. *Thor H* —5B **32**
Church Rd. *Upt* —2G **17**
Church Rd. *Wall* —3A **12**
Church Rd. *Walt* —1H **5**
Church Rd. *W Kir* —6C **14**
Church Rd. W. *Liv* —1H **5**
Church St. *Birk* —1B **20**
 (in two parts)
Church St. *Boot* —1C **4**
Church St. *Ell P* —1A **48**
Church St. *Liv* —4F **13**
Church St. *Wall* —1H **11**
Church Ter. *Birk* —4H **19**
Churchview Rd. *Birk* —5F **11**
Church Wlk. *Boot* —1D **4**
Church Wlk. *Ell P* —1A **48**
Church Wlk. *Wir* —6D **14**
Churchwood Clo. *Wir* —2B **34**
Churchwood Ct. *Wir* —6H **17**
Churnet St. *Liv* —3G **5**
Churn Way. *Wir* —3D **16**
Churton Av. *Pren* —4D **18**
Churton Ct. *Liv* —2F **13**
Circular Dri. *Grea* —4D **16**
Circular Dri. *Hes* —2B **30**
Circular Dri. *Port S* —2H **27**

Circular Rd. *Birk* —2H **19**
Cirencester Av. *Wir* —3C **16**
Citrine Rd. *Wall* —3H **11**
City Rd. *Liv* —2H **5**
Civic Way. *Beb* —4G **27**
Civic Way. *Ell P* —3H **47**
Clare Cres. *Wall* —6D **2**
Clare Dri. *Whitby* —5H **47**
Claremont Rd. *Wir* —4D **14**
Claremont Way. *Wir* —1D **26**
Claremont Dri. *Wir* —5F **27**
Claremount Rd. *Wall* —4D **2**
Clarence Rd. *Birk* —4G **19**
Clarence Rd. *Wall* —3H **11**
Clarence St. *Liv* —4G **13**
Clarendon Clo. *Pren* —2G **19**
Clarendon Rd. *Wall* —2H **11**
Clare Rd. *Boot* —1F **5**
Clare Way. *Wall* —6D **2**
Claribel St. *Liv* —1H **21**
Clarke Av. *Birk* —5A **20**
Clatterbridge Rd. *Wir* —3D **32**
 (in two parts)
Claughton Dri. *Wall* —2F **11**
Claughton Firs. *Pren* —2F **19**
Claughton Grn. *Pren* —2E **19**
Claughton Pl. *Birk* —1G **19**
Claughton Rd. *Birk* —1G **19**
Clayfield Clo. *Boot* —1F **5**
Clayhill Grn. *L Sut* —6C **40**
Clayhill Ind. Pk. *Clay L* —3D **36**
Clay St. *Liv* —1D **12**
Clayton La. *Wall* —3E **11**
Clayton Pl. *Birk* —2G **19**
Clayton Sq. *Liv* —4F **13**
Clayton St. *Birk* —2G **19**
Clee Hill Rd. *Birk* —6G **19**
Clegg St. *Liv* —1G **13**
Clement Gdns. *Liv* —1E **13**
 (in two parts)
Cleopas St. *Liv* —3H **21**
Clevedon St. *Liv* —2H **21**
Cleveland Dri. *L Sut* —1A **46**
Cleveland Sq. *Liv* —5F **13**
Cleveland St. *Birk* —5F **11**
Cleveley Rd. *Wir* —5G **7**
Cliff Dri. *Wall* —6H **3**
Cliffe Rd. *L Nes* —2D **42**
Clifford Rd. *Wall* —2F **11**
Clifford St. *Birk* —5E **11**
Clifford St. *Liv* —3G **13**
Cliff Rd. *Wall* —2D **10**
Cliff, The. *Wall* —2D **2**
Clifton Av. *Wir* —2G **39**
Clifton Ct. *Birk* —5F **19**
Clifton Cres. *Birk* —1A **20**
Clifton Gdns. *Ell P* —4A **48**
Clifton Gro. *Liv* —1G **13**
Clifton Gro. *Wall* —1G **11**
Clifton Rd. *Birk* —2H **19**
Clipper Vw. *Wir* —1H **27**
Clive Rd. *Pren* —3F **19**
Cloister Way. *Ell P* —2C **48**
Closeburn Av. *Wir* —5A **30**
Close, The. *Beb* —6H **19**
Close, The. *Grea* —5D **16**
Close, The. *Irby* —3H **23**
Clover Dri. *Birk* —4C **10**
Cloverfield Gdns. *L Sut* —6D **40**
 (in two parts)
Clwyd St. *Birk* —1H **19**
 (in two parts)
Clwyd St. *Wall* —4E **3**
Clwyd Way. *L Sut* —1A **46**
Clydesdale. *Whitby* —4H **47**
Clydesdale Rd. *Wall* —6H **3**
Clydesdale Rd. *Wir* —5D **6**
Clyde St. *Birk* —5B **20**
Clyde St. *Boot* —3E **5**
Coalbrookdale Rd. *Clay L* —3C **36**
Coal St. *Liv* —3G **13**
Coastal Dri. *Wall* —3B **2**
Coastguard La. *Park* —4A **36**
Cobden Av. *Birk* —4E **20**
Cobden St. *Birk* —4A **20**
Cobden Pl. *Birk* —4B **20**
Cobden St. *Liv* —2H **13**
Cobham Rd. *Wir* —4D **6**
Coburg Dock Marina. —1F **21**
Coburg St. *Birk* —1H **19**
Coburg Wharf. *Liv* —1E **21**
Cochrane St. *Liv* —6H **5**
Cockburn St. *Liv* —3H **21**
Cockerell Clo. *Liv* —4H **5**

Cockspur St. *Liv* —3E **13**
Cockspur St. W. *Liv* —3E **13**
Cokers, The. *Birk* —1E **27**
Coldstream Dri. *L Sut* —2H **45**
Coleman Dri. *Wir* —4C **16**
Colemere Ct. *Ell P* —6H **41**
Colemere Dri. *Wir* —3D **24**
Coleridge Dri. *Wir* —2G **27**
Cole St. *Pren* —1G **19**
Colin Dri. *Liv* —6E **5**
College Clo. *Pren* —1H **17**
College Clo. *Wall* —5C **2**
College Dri. *Wir* —2G **27**
College La. *Liv* —4F **13**
College St. N. *Liv* —2H **13**
College St. S. *Liv* —2H **13**
College Vw. *Boot* —1E **5**
Colliery Grn. Clo. *L Nes* —2C **42**
Colliery Grn. Ct. *L Nes* —2C **42**
Colliery Grn. Dri. *L Nes* —2C **42**
Collingham Grn. *L Sut* —2B **46**
Collingwood Rd. *Wir* —5H **27**
Collin Rd. *Pren* —5C **10**
Colmore Av. *Wir* —2F **33**
Colquitt St. *Liv* —5G **13**
Columbia La. *Pren* —3F **19**
Columbia Rd. *Liv* —1H **5**
Columbia Rd. *Pren* —3F **19**
Columbus Dri. *Wir* —6A **24**
Columbus Quay. *Liv* —4G **21**
Column Rd. *Wir* —5E **15**
Colville Rd. *Wall* —1E **11**
Colwyn St. *Birk* —5E **11**
Combermere St. *Liv* —1G **21**
Comely Av. *Wall* —1G **11**
Comely Bank Rd. *Wall* —1H **11**
Commercial Rd. *Liv* —5E **5**
Commercial Rd. *Wir* —6C **28**
Common Fld. Rd. *Wir* —6H **17**
Commonwealth Pavilion. *Liv* —5E **13**
Commutation Row. *Liv* —3F **13**
Compass Ct. *Wall* —3D **2**
Compton Pl. *Ell P* —2H **47**
Compton Rd. *Birk* —4B **10**
Comus St. *Liv* —2F **13**
Concert Sq. *Liv* —4F **13**
 (off Concert St.)
Concert St. *Liv* —4F **13**
Concordia Av. *Wir* —2G **17**
Concourse Ho. *Liv* —3F **13**
Concourse, The. *Wir* —4C **14**
Coney Wlk. *Wir* —1D **16**
Conifer Clo. *Whitby* —6B **46**
Coningsby Dri. *Wall* —1E **11**
Coningsby Rd. *Liv* —4H **5**
Coniston Av. *Pren* —2A **18**
Coniston Av. *Wall* —4C **2**
Coniston Av. *Wir* —1E **39**
Coniston Clo. *Chil T* —4B **40**
Coniston Rd. *Irby* —3H **23**
Coniston Rd. *Nest* —1C **42**
Connaught Clo. *Birk* —5E **11**
Connaught Way. *Birk* —5D **10**
Constance St. *Liv* —3H **13**
Constantine Av. *Wir* —2C **30**
Convent Clo. *Birk* —3H **19**
Conville Boulevd. *Wir* —1D **26**
Conway Clo. *Wir* —4D **26**
Conway Ct. *Beb* —5F **27**
Conway Ct. *Ell P* —4B **48**
Conway Pl. *Birk* —1H **19**
Conway St. *Birk* —6G **11**
 (in two parts)
Conway St. *Liv* —6G **5**
Cook Rd. *Wir* —1H **9**
Cookson St. *Liv* —6G **13**
Cook St. *Birk* —2G **19**
Cook St. *Ell P* —1A **48**
Cook St. *Liv* —4E **13**
Coombe Pk. *L Sut* —1C **46**
Coombe Pk. Ct. *L Sut* —1C **46**
Coombe Rd. *Wir* —2A **24**
Cooperage Clo. *Liv* —3G **21**
Copeland Clo. *Wir* —5A **24**
Copperas Hill. *Liv* —4G **13**
Copperfield Clo. *Liv* —2H **21**
Coppice Clo. *Pren* —1H **17**
Coppice Grange. *Wir* —6C **8**
Coppice Gro. *Wir* —5C **16**
Coppice, The. *Wall* —4E **3**
Copse Gro. *Wir* —2A **24**
Coral Ridge. *Pren* —1B **18**

Corbyn St. *Wall* —3A **12**
Corfu St. *Birk* —1G **19**
Corinthian St. *Birk* —5B **20**
Corinth Tower. *Liv* —5G **5**
Corinto St. *Liv* —6G **13**
Cormorant Ct. *Wall* —3C **2**
Cornelius Dri. *Wir* —4B **24**
Cornfield Clo. *Gt Sut* —6F **47**
Cornflower Way. *Wir* —3G **9**
Corn Hill. *Liv* —5E **13**
Corniche Rd. *Wir* —3H **27**
Corn St. *Liv* —2G **21**
Cornwall Clo. *Wir* —1H **27**
Cornwall Ct. *Wir* —5F **27**
Cornwall Dri. *Pren* —6E **19**
Cornwallis St. *Liv* —5F **13**
 (in two parts)
Corona Rd. *Wir* —3A **28**
Coronation Av. *Wall* —4F **3**
Coronation Bldgs. *Wall* —1E **11**
Coronation Bldgs. *Wir* —3E **15**
Coronation Dri. *Wir* —6B **28**
Coronation Rd. *Ell P* —3H **47**
Coronation Rd. *Hoy* —1B **14**
Corporation Rd. *Birk* —5D **10**
Corrie Dri. *Wir* —5F **27**
Cortsway. *Wir* —2E **17**
Cortsway W. *Wir* —2D **16**
Corwen Clo. *Pren* —1H **17**
Corwen Gro. *Wir* —6F **9**
Corwen Rd. *Wir* —6E **7**
Costain St. *Liv* —3E **5**
Cotswold Rd. *Birk* —6G **19**
Cottage Clo. *Brom* —6A **34**
Cottage Clo. *L Nes* —6C **36**
Cottage Dri. E. *Wir* —6B **30**
Cottage Dri. W. *Wir* —6B **30**
Cottage La. *Wir* —6B **30**
Cottage St. *Birk* —6H **11**
Cottesmore Dri. *Wir* —3F **31**
Cotton St. *Liv* —1D **12**
Cottonwood. *Liv* —4H **21**
Coulsdon Pl. *Liv* —3H **21**
Coulthard Rd. *Birk* —1G **27**
County Rd. *Walt* —2H **5**
Courtenay Rd. *Wir* —6C **6**
Courtney Av. *Wall* —2E **11**
Courtney Rd. *Birk* —1G **27**
Court, The. *L Nes* —1D **42**
Court, The. *Wir* —4G **27**
Covent Garden. *Liv* —3D **12**
Coventry Av. *Gt Sut* —6A **46**
Coventry St. *Birk* —1H **19**
Covertside. *Wir* —5F **15**
Cowan Dri. *Liv* —1H **13**
Cowdrey Av. *Pren* —4A **10**
Cow La. *L Sut* —1C **46**
Cowley Clo. *Wir* —2D **16**
Cowley Rd. *Liv* —2H **5**
Craig Gdns. *Ell P* —6E **41**
Craigleigh Gro. *Wir* —1H **39**
Cranborne Av. *Wir* —4G **7**
Cranbourne Av. *Birk* —6E **11**
Cranbourne Av. *More* —6D **8**
Cranford Clo. *Wir* —1H **39**
Cranford St. *Wall* —3G **11**
Cranmer St. *Liv* —6E **5**
Cranswick Grn. *L Sut* —2C **46**
Cranwell Rd. *Wir* —4B **16**
Craven Clo. *Birk* —1H **19**
Craven Pl. *Birk* —6G **11**
Craven St. *Birk* —1G **19**
Craven St. *Liv* —4G **13**
Creek, The. *Wall* —3C **2**
Creer St. *Liv* —1G **13**
Crescent Rd. *Ell P* —1B **48**
Crescent Rd. *Wall* —1G **11**
Crescent, The. *Beb* —6E **27**
Crescent, The. *Grea* —4D **16**
Crescent, The. *Gt Sut* —2F **47**
Crescent, The. *Pens* —3B **24**
Crescent, The. *W Kir* —5C **14**
Cresington Gdns. *Ell P* —1A **48**
Cressida Av. *Wir* —2E **27**
Cressingham Rd. *Wall* —3F **3**
Cressington Av. *Birk* —6H **19**
Cresson Ct. *Pren* —2D **18**
Cresswell St. *Liv* —1H **13**
Crete Towers. *Liv* —5G **5**
Crewe Grn. *Wir* —5G **17**
Criccieth Ct. *Ell P* —5B **48**
Criftin Clo. *Gt Sut* —5C **46**
Crocus Av. *Birk* —5D **10**

Drinkwater Gdns.—Falcon Rd.

Drinkwater Gdns. *Liv* —2G **13**
Droitwich Av. *Wir* —3C **16**
Druids Way. *Wir* —5G **17**
Drummond Av. *Gt Sut* —3C **46**
Drummond Rd. *Wir* —2C **14**
Drury La. *Liv* —4E **13**
Dryburgh Way. *Liv* —3G **5**
Dryden Clo. *Pren* —6A **10**
Dryden St. *Liv* —1F **13**
Dryfield Clo. *Wir* —3D **16**
Dublin Cft. *Gt Sut* —6E **47**
Dublin St. *Liv* —1D **12**
Duckinfield St. *Liv* —4H **13**
Duck Pond La. *Birk* —5E **19**
Duddon St. *Pren* —4D **18**
Dudleston Rd. *L Sut* —1B **46**
Dudley Clo. *Pren* —3F **19**
Dudley Cres. *Hoot* —2B **40**
Dudley Rd. *Ell P* —2H **47**
Dudley Rd. *Wall* —3E **3**
Duke of York Cotts. *Wir* —3G **27**
Dukes Rd. *Liv* —5G **5**
Duke St. *Birk* —4G **11**
Duke St. *Liv* —5F **13**
Duke St. *Wall* —3F **3**
Duke St. Bri. *Birk* —4G **11**
Duke St. La. *Liv* —5F **13**
Dumbarton St. *Liv* —2G **5**
Dunbar Clo. *L Sut* —2C **46**
Dunbar Ct. *L Sut* —2C **46**
Dunbar St. *Liv* —1H **5**
Duncan Dri. *Wir* —3D **16**
Duncansby Dri. *Wir* —1E **39**
Duncan St. *Birk* —1B **20**
Duncan St. *Liv* —6G **13**
Duncote Clo. *Pren* —3E **19**
Dundas St. *Boot* —2D **4**
Dundee Ct. *Ell P* —4C **48**
Dundee Gro. *Wall* —2E **11**
Dundonald St. *Birk* —5E **11**
Dunham Clo. *Wir* —2H **39**
Dunkirk Cres. *Whitby* —6G **47**
Dunkirk Dri. *Whitby* —6H **47**
Dunkirk La. *Dunk* —6C **46**
Dunkirk La. *Whitby* —6G **47**
Dunlins Ct. *Wall* —3C **2**
Dunluce St. *Liv* —2G **5**
Dunmore Cres. *L Sut* —1B **46**
Dunmore Rd. *L Sut* —1B **46**
Dunnett St. *Liv* —2D **4**
Dunning Clo. *Wir* —2E **17**
Dunraven Rd. *L Nes* —6E **37**
Dunraven Rd. *W Kir* —5C **14**
Dunstall Clo. *Wir* —2E **9**
Dunstan La. *Burt* —5A **44**
Dunster Gro. *Wir* —4D **30**
Durban Rd. *Wall* —5F **3**
Durham Ct. *Ell P* —4C **48**
Durley Dri. *Pren* —6C **18**
Dutton Dri. *Wir* —1F **33**
Dutton Grn. *L Stan* —4D **48**
Dwerryhouse St. *Liv* —1F **21**
Dyke St. *Liv* —1H **13**
Dyson St. *Liv* —2H **5**

Eagle La. *L Sut* —6D **40**
Earle Cres. *Nest* —4B **36**
Earle Dri. *Park* —5B **36**
Earle Ho. *Wir* —1H **27**
Earle St. *Liv* —3E **13**
(in two parts)
Earls Gdns. *Ell P* —2H **47**
Earlston Rd. *Wall* —5E **3**
Earl St. *Wir* —1H **27**
Earlswood Clo. *Wir* —5B **8**
Easby Rd. *Liv* —4F **5**
(in two parts)
Easby Wlk. *Liv* —4F **5**
East Bank. *Wir* —4G **19**
Eastbourne Rd. *Birk* —1G **19**
Eastbourne Wlk. *Liv* —1H **13**
E. Brook St. *Liv* —5H **5**
Eastcott Clo. *Wir* —4C **16**
Eastcroft Rd. *Wall* —2G **11**
Eastern Av. *Wir* —5B **28**
E. Farm M. *Cald* —1D **22**
Eastgate Rd. *Port S* —4H **27**
Eastham. —6D 34
Eastham Country Pk. —3E **35**
Eastham Ferry. —3E 35
Eastham Lodge Golf Course. —5D **34**
Eastham M. *East* —1A **40**

Eastham Rake. *Wir* —3E **39**
Eastham Village Rd. *Wir* —6D **34**
Eastlake Av. *Liv* —6H **5**
Eastleigh Dri. *Wir* —2H **23**
Easton Rd. *Wir* —1H **27**
E. Park Ct. *Wall* —2A **12**
East St. *Birk* —3A **12**
East St. *Liv* —3D **12**
Eastview Clo. *Pren* —3B **18**
Eastway. *Ell P* —6D **40**
Eastway. *Grea* —3E **17**
East Way. *More* —4E **9**
Eastwood. *Liv* —4H **21**
Eaton Av. *Wall* —1G **11**
Eaton Rd. *Pren* —2F **19**
Eaton Rd. *Wir* —6C **14**
Eaton St. *Liv* —2E **13**
Eaton St. *Wall* —6F **3**
Ebenezer St. *Birk* —5C **20**
Eberle St. *Liv* —3E **13**
Ebony Clo. *Wir* —5B **8**
Ebor La. *Liv* —1G **13**
Eccleshall Rd. *Wir* —3A **28**
Eccleston Av. *Brom* —2A **34**
Eccleston Av. *Ell P* —2E **47**
Eccleston Clo. *Pren* —4D **18**
Echo La. *Wir* —6E **15**
Edale Clo. *Wir* —6C **34**
Eddisbury Rd. *Wall* —6G **3**
Eddisbury Rd. *W Kir* —3C **14**
Eddisbury Rd. *Whitby* —5F **47**
Eden Clo. *Gt Sut* —2C **46**
Edenhurst Av. *Wall* —6G **3**
Edenpark Rd. *Birk* —4G **19**
Edgar Ct. *Birk* —6H **11**
Edgar St. *Birk* —6H **11**
Edgar St. *Liv* —2F **13**
Edgbaston Way. *Pren* —5A **10**
Edgefield Clo. *Pren* —4A **10**
Edgehill Rd. *Wir* —5C **8**
Edgemoor Clo. *Pren* —6H **9**
Edgemoor Dri. *Wir* —2G **23**
Edgewood Dri. *Wir* —6B **34**
Edgewood Rd. *Meol* —4F **7**
Edgewood Rd. *Upt* —1F **17**
Edinburgh Ct. *Ell P* —4B **48**
Edinburgh Dri. *Pren* —6E **19**
Edinburgh Rd. *Kens* —3H **13**
Edinburgh Rd. *Wall* —6F **3**
Edinburgh Tower. *Liv* —6G **5**
Edith Rd. *Wall* —2H **11**
Edmonton Clo. *Liv* —5F **5**
Edmund St. *Liv* —3D **12**
Edrich Av. *Pren* —5A **10**
Edward Pavilion. *Liv* —5E **13**
Edward Rd. *Wir* —1E **15**
Edward St. *Ell P* —2G **41**
Edward St. *Liv* —4G **13**
Effingham St. *Boot* —1D **4**
Egan Rd. *Pren* —5C **10**
Egbert Rd. *Wir* —5E **7**
Egerton Dri. *Wir* —5D **14**
Egerton Gdns. *Birk* —6A **20**
Egerton Gro. *Wall* —6F **3**
Egerton Pk. *Birk* —6A **20**
Egerton Pk. Clo. *Birk* —6A **20**
Egerton Rd. *Pren* —1E **19**
Egerton Rd. *Wir* —2H **27**
Egerton St. *Ell P* —1A **48**
Egerton St. *Liv* —6H **13**
Egerton St. *Wall* —3F **3**
Egerton Wharf. *Birk* —6A **12**
Egremont. —6H 3
Egremont Promenade. *Wall* —5H **3**
Elaine Clo. *Gt Sut* —3C **46**
Elaine St. *Liv* —1H **21**
Elder Gro. *Wir* —5D **14**
Elderwood Rd. *Birk* —4A **20**
Eldon Gro. *Liv* —1F **13**
Eldonian Way. *Liv* —1E **13**
Eldon Pl. *Birk* —1H **19**
Eldon Pl. *Liv* —1E **13**
Eldon Rd. *Birk* —5B **20**
Eldon Rd. *Wall* —1F **11**
Eldon St. *Liv* —1E **13**
Eldon Ter. *Nest* —6C **36**
Eleanor Rd. *Pren* —4B **10**
Eleanor Rd. *Wir* —4D **8**
Eleanor St. *Ell P* —1A **48**
Eleanor St. *Liv* —2D **4**
Elfet St. *Birk* —5D **10**
Elgar Av. *Wir* —6C **34**
Elgar Clo. *Gt Sut* —4F **47**

Elgin Dri. *Wall* —5G **3**
Elgin Way. *Birk* —6A **12**
Eliot Clo. *Wir* —2G **27**
Elizabeth St. *Wir* —3H **13**
Elland Dri. *L Sut* —2C **46**
Ellens Clo. *Liv* —3H **13**
Ellen's La. *Wir* —4G **27**
Elleray Pk. Rd. *Wall* —4E **3**
Ellerman Rd. *Liv* —4G **21**
Ellerton Av. *L Sut* —2C **46**
Ellesmere Gro. *Wall* —5F **3**
Ellesmere Port. —1A 48
Ellesmere Port Golf Course. —5C **40**
Elliot St. *Liv* —4F **13**
Ellison Tower. *Liv* —6G **5**
Ellis Pl. *Liv* —2H **21**
Elm Av. *Wir* —1D **16**
Elm Bank. *Liv* —4H **5**
Elm Clo. *Wir* —5C **24**
Elmdene Ct. *Wir* —5C **16**
Elm Dri. *Wir* —4C **16**
Elm Grn. *Will* —5B **38**
Elm Gro. *Birk* —3H **19**
Elm Gro. *Hoy* —6E **7**
Elm Gro. *Liv* —4H **13**
Elm Gro. *Whitby* —6G **47**
Elmore Clo. *Liv* —6H **5**
Elm Pk. Rd. *Wall* —4E **3**
Elm Rd. *Beb* —2F **27**
Elm Rd. *Birk* —4H **19**
(Derby Rd.)
Elm Rd. *Birk* —5F **19**
(Waterpark Rd.)
Elm Rd. *Irby* —3B **24**
Elm Rd. *Will* —5B **38**
Elm St. *Birk* —1H **19**
Elm St. *Ell P* —2G **41**
Elmswood Rd. *Birk* —3G **19**
Elmswood Rd. *Wall* —1H **11**
Elm Ter. *Wir* —6E **15**
Elmtree Gro. *Pren* —5C **10**
Elmure Av. *Wir* —4D **26**
Elmwood Dri. *Wir* —1B **30**
Elphin Gro. *Liv* —2H **5**
Elstow St. *Liv* —4F **5**
Elswick St. *Liv* —4H **21**
Eltham Clo. *Wir* —5H **17**
Eltham Grn. *Wir* —5H **17**
Elton Clo. *Wir* —2G **39**
Elton Dri. *Wir* —6G **27**
Elton St. *Liv* —1H **5**
Elwyn Rd. *Wir* —4G **7**
Elwy St. *Liv* —2H **21**
Ely Av. *Wir* —5C **8**
Ember Cres. *Liv* —1H **13**
Emerald St. *Liv* —4H **21**
Emerson St. *Liv* —6H **13**
Emery St. *Liv* —2H **5**
Empire Bri. Liv —3D 12
(off Union St.)
Empress Rd. *Wall* —1G **11**
Emslie Ct. *Park* —6A **36**
Enerby Clo. *Pren* —6A **10**
Enfield Rd. *Ell P* —2H **47**
Enfield Ter. *Pren* —2F **19**
Enid St. *Liv* —1H **21**
Ennerdale Av. *Wir* —1H **39**
Ennerdale Rd. *Pren* —6C **18**
Ennerdale Rd. *Wall* —3D **2**
Ennerdale St. *Liv* —1F **13**
Ennisdale Dri. *Wir* —4F **15**
Ensor St. *Liv* —2D **4**
Epic Leisure Cen. —3A **48**
Epping Ct. *Wir* —3C **30**
Epsom Dri. *Wir* —2F **9**
Epsom Rd. *Wir* —2F **9**
Epsom Way. *Liv* —6F **5**
Epworth Grange. *Pren* —1E **19**
Epworth St. *Liv* —3H **13**
Erfurt Av. *Wir* —5G **27**
Erica Ct. *Wir* —2A **30**
Eric Gro. *Wall* —1E **11**
Eric Rd. *Wall* —1E **11**
Eridge St. *Liv* —3H **21**
Erin Clo. *Liv* —1G **21**
Ermine Cres. *Liv* —6H **5**
Errington Av. *Ell P* —1A **48**
Errington St. *Liv* —5D **4**
Erskine Ind. Est. *Liv* —2H **13**
Erskine Rd. *Wall* —2G **11**

Erskine St. *Liv* —2H **13**
Escolme Dri. *Wir* —4D **16**
Esher Clo. *Pren* —6A **10**
Esher Clo. *Wir* —1H **27**
Esher Rd. *Wir* —1H **27**
Eskdale. *Whitby* —4H **47**
Eskdale Av. *East* —6C **34**
Eskdale Av. *More* —4C **8**
Esk St. *Liv* —3D **4**
Espin St. *Liv* —2H **5**
Esplanade. *Birk* —5C **20**
Esplanade, The. *Wir* —6D **20**
Essex Rd. *Wir* —4E **15**
Essex St. *Liv* —2G **21**
Ethelbert Rd. *Wir* —5E **7**
Ethel Rd. *Wall* —2H **11**
Etna St. *Birk* —5B **20**
Eton Dri. *Wir* —5H **31**
Eton Rd. *Ell P* —3B **48**
Eton St. *Liv* —2H **5**
Europa Boulevd. *Birk* —1A **20**
Europa Pools Swimming Cen.
—1H **19**
Europa Sq. *Birk* —1H **19**
Europa Way. *Ell P* —1A **48**
Euston Gro. *Pren* —2F **19**
Euston St. *Liv* —1H **5**
Evans Rd. *Wir* —6D **6**
Evelyn Rd. *Wall* —2G **11**
Evelyn St. *Liv* —5F **5**
Everest Clo. *Gt Sut* —4F **47**
Everest Rd. *Birk* —5H **19**
Evergreen Clo. *Wir* —1E **17**
Everleigh Clo. *Pren* —6A **10**
Eversleigh Dri. *Wir* —5G **27**
Eversley Pk. *Pren* —4F **19**
Everton. —1H 13
Everton Brow. *Liv* —2G **13**
Everton F.C. —2H 5
Everton Rd. *Liv* —1H **13**
Everton Valley. *Liv* —4G **5**
Everton Vw. *Boot* —1D **4**
Evesham Rd. *Wall* —5D **2**
Ewloe Ct. *Ell P* —5B **48**
Exchange Pas. E. *Liv* —3E **13**
Exchange Pas. W. *Liv* —3E **13**
Exchange St. E. *Liv* —3E **13**
Exchange St. W. *Liv* —3E **13**
Exeter Rd. *Boot* —1E **5**
Exeter Rd. *Ell P* —2A **48**
Exeter Rd. *Wall* —6G **3**
Exmoor Clo. *Wir* —4B **24**
Exmouth Clo. *Birk* —1H **19**
Exmouth Gdns. *Birk* —1H **19**
Exmouth St. *Birk* —1H **19**
Exmouth Way. *Birk* —1H **19**

Fairacres Rd. *Wir* —5F **27**
Fairbeech Ct. *Pren* —6A **10**
Fairbeech M. *Pren* —6A **10**
Fairbrook Dri. *Birk* —4C **10**
Fairclough La. *Pren* —3F **19**
Fairclough St. *Liv* —4F **13**
Fairfax Rd. *Birk* —3A **20**
Fairfield Av. *Whitby* —5G **47**
Fairfield Cres. *Wir* —5D **8**
Fairfield Dri. *Wir* —4G **15**
Fairfield Rd. *Birk* —5A **20**
Fairhaven Clo. *Birk* —5B **20**
Fairhaven Dri. *Wir* —6A **34**
Fairholme Av. *Nest* —4B **36**
Fair Isles Clo. *Ell P* —6A **48**
Fairlawn Clo. *Wir* —5G **33**
Fairlawn Ct. *Pren* —2D **18**
Fairmead Rd. *Wir* —4E **9**
Fairoak Clo. *Pren* —6A **10**
Fairoak M. *Pren* —6A **10**
Fair Vw. *Birk* —3A **20**
Fairview Av. *Wall* —6E **3**
Fairview Clo. *Pren* —4F **19**
Fair Vw. Pl. *Liv* —2H **21**
Fairview Rd. *Pren* —5F **19**
Fairview Rd. *Whitby* —5G **47**
Fairview Way. *Wir* —6B **24**
Fairway Cres. *Wir* —5B **28**
Fairway N. *Wir* —5B **28**
Fairways Dri. *Ell P* —5D **40**
Fairway S. *Wir* —6B **28**
Fairways, The. *Wir* —3B **22**
Falcongate Ind. Est. *Wall* —4G **11**
(off Old Gorsey La.)
Falcon Rd. *Birk* —3G **19**

Falcon Rd. *Gt Sut* —4F **47**
Falkland Rd. *Wall* —1H **11**
Falkland St. *Birk* —5E **11**
Falkland St. *Liv* —3H **13**
(in two parts)
Falkner Sq. *Liv* —5H **13**
Falkner St. *Liv* —5H **13**
(in two parts)
Fallowfield Rd. *Wir* —5G **9**
Falstaff St. *Boot* —2E **5**
Faraday Rd. *Whitby* —3G **47**
Faraday St. *Liv* —6H **5**
Fareham Clo. *Wir* —1E **17**
Farley Av. *Wir* —2A **34**
Farlow Rd. *Birk* —6B **20**
Farm Clo. *Wir* —3C **16**
Far Mdw. La. *Wir* —3G **23**
Farmers Heath. *Ell P* —5D **46**
Farmfield Dri. *Pren* —6A **10**
Farmside. *Wir* —2F **9**
Farmstead Way. *Gt Sut* —6E **47**
Farndon Av. *Wall* —5C **2**
Farndon Dri. *Wir* —4G **15**
Farndon Rd. *Ell P* —1E **47**
Farndon Way. *Pren* —3D **18**
Farne Clo. *Ell P* —6A **48**
Farnworth Av. *Wir* —1F **9**
Farr Hall Dri. *Wir* —4A **30**
Farr Hall Rd. *Wir* —3A **30**
Farriers Way. *Wir* —5B **16**
Fazakerley Bri. Liv —3D **12**
(off Fazakerley St.)
Fazakerley St. *Liv* —3D **12**
Fearnley Hall. *Birk* —2H **19**
Fearnley Rd. *Birk* —2H **19**
Feather La. *Wir* —3B **30**
(in two parts)
Feilden Rd. *Wir* —5G **27**
Felicity Gro. *Wir* —4D **8**
Fell St. *Wall* —3A **12**
Felthorpe Clo. *Upt* —6H **9**
Felton Clo. *Wir* —5C **8**
Feltree Ho. *Pren* —6A **10**
Fender Ct. *Wir* —6B **18**
Fender La. *Wir* —4G **9**
Fenderside Rd. *Pren* —5A **10**
Fender Vw. Rd. *Wir* —5G **9**
Fender Way. *Pren* —6H **9**
(in two parts)
Fenderway. *Wir* —5C **24**
Fenwick Rd. *Gt Sut* —5E **47**
Fenwick St. *Liv* —4E **13**
Ferguson Av. *Ell P* —1E **47**
Ferguson Av. *Wir* —4D **16**
Fernbank La. *Wir* —6F **9**
Ferndale Av. *Wall* —1G **11**
Ferndale Av. *Wir* —6B **16**
Ferndale Rd. *Wir* —6D **6**
Fern Gro. *Pren* —2B **18**
Fernhill. Wall —3F **3**
Fernhill Clo. *Boot* —1G **5**
Fernhill Dri. *Liv* —1H **21**
Fernhill Gdns. *Boot* —1G **5**
Fernhill M. E. *Boot* —1G **5**
Fernhill M. W. *Boot* —1G **5**
Fernhill Rd. *Boot* —1G **5**
Fernhill Way. *Boot* —1G **5**
Fernie Cres. *Liv* —2G **21**
Fernlea M. *Pren* —5A **10**
Fernlea Rd. *Wir* —3C **30**
Fernleigh. *Pren* —4F **19**
Fern Rd. *Whitby* —5G **47**
Ferns Clo. *Wir* —2G **29**
Ferns Rd. *Wir* —4D **26**
Ferny Brow Rd. *Wir* —4H **17**
Fernyess La. *Will* —1A **44**
Ferries Clo. *Birk* —1G **27**
Ferry Rd. *Wir* —6E **35**
Ferryside. Wall —3A **12**
Ferry Vw. Rd. *Wall* —3A **12**
Festival Rd. *Ell P* —2F **47**
Ffrancon Dri. *Wir* —2F **27**
Field Clo. *Wir* —1H **27**
Field Hey La. *Will* —4D **38**
(in two parts)
Field Rd. *Wall* —4F **3**
Fieldside Rd. *Birk* —5A **20**
Field St. *Liv* —2G **13**
(in two parts)
Fieldway. *Beb* —1D **26**
Fieldway. *Hes* —2E **31**
Fieldway. *L Sut* —6B **40**
Fieldway. *Meol* —6H **7**

Fieldway. *Wall* —6E **3**
Fieldway Ct. *Birk* —5G **11**
Fifth Av. *Pren* —6H **9**
Finch Ct. *Birk* —6H **11**
Finchdean Clo. *Wir* —4C **16**
Finch Pl. *Liv* —3H **13**
Findley Dri. *Wir* —2F **9**
Finney, The. *Cald* —3B **22**
Finstall Rd. *Wir* —1F **33**
Firbrook Ct. *Pren* —4A **10**
Firdene Cres. *Pren* —3C **18**
Firs Av. *Wir* —6F **27**
Firshaw Rd. *Wir* —4E **7**
First Av. *Pren* —1A **18**
Firs, The. *Pren* —5C **10**
Firtree Gro. *Whitby* —6B **46**
Fir Way. *Wir* —6D **30**
Fishers La. *Wir* —5A **24**
Fisher St. *Liv* —1F **21**
Fishguard Clo. *Liv* —1H **13**
Fitzclarence Wlk. *Liv* —1H **13**
Fitzclarence Way. *Liv* —1H **13**
Fitzpatrick Ct. *Liv* —1E **13**
Fitzroy Way. *Liv* —2H **13**
Flag La. *Liv* —4H **13**
Flail Clo. *Wir* —3D **16**
Flambards. *Wir* —4A **18**
Flashes La. *Ness* —2F **43**
Flatt La. *Ell P* —2H **47**
Flatt La. *Pren* —4D **18**
Flaxhill. Wir —4D **8**
Flaybrick Clo. *Pren* —5C **10**
Fleck La. *Wir* —6F **15**
Fleet Cft. Rd. *Wir* —5G **17**
Fleet St. *Ell P* —2G **47**
Fleet St. *Liv* —4F **13**
Fleming Ct. *Liv* —1E **13**
Fleming St. *Ell P* —1A **48**
Fletcher Av. *Birk* —5A **20**
Fletcher Clo. *Wir* —5G **17**
Flint Clo. *Nest* —1C **42**
Flint Ct. *Ell P* —5B **48**
Flint Dri. *Nest* —6C **36**
Flint Mdw. *Nest* —6C **36**
Flint St. *Liv* —6F **13**
Floral Pavillion Theatre. —2G **3**
Floral Wood. *Liv* —5H **21**
Florence Av. *Wir* —2B **30**
Florence Rd. *Wall* —2A **12**
Florence St. *Birk* —1H **19**
Florence St. *Liv* —3H **5**
Flowermead Clo. *Wir* —4H **7**
Folds, The. *Wir* —5A **32**
Foley Clo. *Liv* —4G **5**
Foley St. *Liv* —4G **5**
(in two parts)
Folly La. *Wall* —6C **2**
Fontenoy St. *Liv* —3F **13**
Fonthill Clo. *Liv* —4F **5**
Fonthill Rd. *Liv* —3F **5**
Ford. —2H **17**
Ford Clo. *Wir* —3H **17**
Ford Dri. *Wir* —2H **17**
Fordham St. *Liv* —3G **5**
Fordhill Vw. *Wir* —5G **9**
Ford La. *Wir* —2H **17**
Ford Rd. *Wir* —2G **17**
Ford St. *Liv* —2E **13**
Ford Way. *Wir* —3G **17**
Fordway M. *Wir* —3G **17**
Forest Clo. *Wir* —4F **7**
Forest Ct. *Pren* —1D **18**
Forest Rd. *Ell P* —6E **41**
Forest Rd. *Hes* —2C **30**
Forest Rd. *Meol* —4F **7**
Forest Rd. *Pren* —6E **11**
Forge Rd. *L Sut* —1C **46**
Forge St. *Boot* —3E **5**
Fornals Grn. La. *Wir* —6G **7**
Forrest St. *Liv* —5F **13**
Forth St. *Liv* —2D **4**
Fort St. *Wall* —4G **3**
Forwood Rd. *Wir* —3B **34**
Foster St. *Liv* —4E **5**
Fotheringay Ct. *Ell P* —5B **48**
Fountain Rd. *Wall* —4F **3**
Fountains Clo. *Liv* —4H **5**
Fountains Ct. *Kirk* —4F **5**
Fountains Rd. *Liv* —4F **5**
(in two parts)
Fountain St. *Birk* —4G **19**
Four Bridges. *Wall* —4A **12**
Fourth Av. *Pren* —6H **9**

Fowell Rd. *Wall* —3F **3**
Foxall Way. *Gt Sut* —5C **46**
Foxcover Rd. *Hes* —4E **31**
Foxcovers Rd. *Beb* —6G **27**
Foxdale Clo. *Pren* —2E **19**
Foxes, The. *Wir* —3D **24**
Foxfield Rd. *Wir* —5F **7**
Foxglove Rd. *Birk* —6D **10**
Foxglove Way. *L Nes* —2C **42**
Fox Hey Rd. *Wall* —1D **10**
Foxhill Clo. *Tox* —1H **21**
Foxleigh Grange. *Birk* —4D **10**
Fox St. *Birk* —1G **19**
Fox St. *Liv* —1G **13**
Foxton Clo. *Wir* —4B **8**
Foxwood Clo. *Wir* —4G **15**
Franceys St. *Liv* —4G **13**
Francine Clo. *Liv* —6E **5**
Francis Av. *Pren* —1F **19**
Francis Av. *Wir* —5D **8**
Frankby. —5B **16**
Frankby Av. *Wall* —1E **11**
Frankby Clo. *Wir* —4B **16**
Frankby Grn. *Wir* —5B **16**
Frankby Gro. *Wir* —2F **17**
Frankby Rd. *Grea & Wir* —4B **16**
Frankby Rd. *Meol* —5F **7**
Frankby Rd. *W Kir & Fran* —4F **15**
Franklin Rd. *Wir* —1G **9**
Frank St. *Liv* —2G **21**
Fraser St. *Liv* —3G **13**
Freedom Clo. *Liv* —5H **13**
Freeland St. *Liv* —4G **5**
Freeman St. *Birk* —6A **12**
Freemasons Row. *Liv* —2E **13**
Frensham Clo. *Wir* —1F **33**
Friars Clo. *Wir* —4F **27**
Frobisher Rd. *More* —1G **9**
Frobisher Rd. *Nest* —5C **36**
Frodsham St. *Birk* —3A **20**
(in two parts)
Frodsham St. *Liv* —2H **5**
Frome Clo. *Wir* —2H **23**
Frome Ct. *Ell P* —6H **41**
Frost Dri. *Wir* —3G **23**
Frosts M. *Ell P* —1H **47**
Fuchsia Clo. *Gt Sut* —6F **47**
Fuchsia Wlk. *Wir* —5C **16**
Fulbrook Clo. *Wir* —6F **27**
Fulbrook Rd. *Wir* —1F **33**
Fulton Av. *Wir* —4G **15**
Fulton St. *Liv* —6D **4**
Fulwood Gdns. *L Sut* —1C **46**
Fulwood M. *L Sut* —1C **46**
Fulwood Rd. *L Sut* —1C **46**
Furness Clo. *Wir* —1E **17**
Furness St. *Liv* —4G **5**
Furrocks Clo. *Ness* —2D **42**
Furrocks La. *Ness* —2D **42**
Furrocks Way. *Ness* —2D **42**
Furrows, The. *Gt Sut* —6A **46**
Furze Way. *Wir* —4E **9**

G

Gabriel Clo. *Wir* —5F **9**
Gainsborough Rd. *Wall* —4C **2**
Gainsborough Rd. *Wir* —1F **17**
Gallagher Ind. Est. *Birk* —4F **11**
Gallopers La. *Wir* —3E **25**
Galton St. *Liv* —2D **12**
Galtres Ct. *Wir* —1E **27**
Galtres Pk. *Wir* —1E **27**
Gambier Ter. *Liv* —6G **13**
Gamlin St. *Birk* —5D **10**
Ganney's Mdw. Rd. *Wir* —5A **18**
Garden Ct. *Birk* —6G **19**
Garden Hey Rd. *Meol* —5E **7**
Garden Hey Rd. *More* —6B **8**
Gardenia Gro. *Liv* —5H **21**
Garden La. *Liv* —1G **13**
Garden La. *Wir* —4E **9**
Gardenside. *Wir* —1H **9**
Gardenside St. *Liv* —2H **13**
Gardens Rd. *Wir* —4H **27**
Gardner's Row. *Liv* —2F **13**
Garfield Ter. *Wir* —2G **17**
Garnett Av. *Liv* —3F **5**
Garrick Av. *Wir* —5C **8**
Garrick Rd. *Pren* —1H **25**
Garswood Clo. *Wir* —1F **9**
Garswood St. *Liv* —4H **21**
Garth Boulevd. *Wir* —1E **27**
Gascoyne St. *Liv* —2E **13**

Gateacre Ct. *Ell P* —5F **41**
Gautby Rd. *Birk* —4C **10**
Gawsworth Clo. *Pren* —4D **18**
Gawsworth Rd. *Gt Sut* —2E **47**
Gayton. —4D **30**
Gayton Av. *Wall* —3F **3**
Gayton Av. *Wir* —1C **26**
Gayton Farm Rd. *Wir* —6C **30**
Gayton La. *Wir* —5D **30**
Gayton Mill Clo. *Wir* —4D **30**
Gayton Parkway. *Wir* —6E **31**
Gayton Rd. *Hes* —5B **30**
Gaytree Ct. *Wir* —6A **10**
Gaywood Clo. *Pren* —6A **10**
Gelling St. *Liv* —2G **21**
Geneva Rd. *Wall* —3H **11**
George Rd. *Wir* —1E **15**
George's Dock Gates. *Liv* —3D **12**
Georges Dockway. *Liv* —4D **12**
George St. *Birk* —6A **12**
George St. *Ell P* —2G **41**
George St. *Liv* —3E **13**
Georgia Av. *Wir* —6C **28**
Geraint St. *Liv* —1H **21**
Gerald Rd. *Pren* —3E **19**
Gerard Av. *Wall* —4E **3**
Gerard Rd. *Wall* —5D **2**
Gerard Rd. *Wir* —4D **14**
Gerard St. *Liv* —2F **13**
Gerrard Av. *Gt Sut* —3C **46**
Gertrude St. *Birk* —1B **20**
Gibbs Ct. *Wir* —3C **24**
Gibraltar Row. *Liv* —3D **12**
Gibson Clo. *Wir* —6B **24**
Gibson St. *Liv* —6H **13**
Gilbert Clo. *Wir* —1F **33**
Gilbert St. *Liv* —5F **13**
Gildarts Gdns. *Liv* —1E **13**
Gildart St. *Liv* —4G **13**
Gillbrook Sq. Birk —5D **10**
(off Vaughan St., in two parts)
Gills La. *Wir* —5C **24**
Gill St. *Liv* —3G **13**
(in two parts)
Gilman St. *Liv* —4H **5**
Gilmour Mt. *Pren* —3F **19**
Gilroy Nature Pk. —3E **15**
Gilroy Rd. *Wir* —4E **15**
Gilwell Av. *Wir* —6E **9**
Gilwell Clo. *Wir* —6E **9**
Ginnel, The. *Wir* —4H **27**
Girton Av. *Boot* —1G **5**
Girton Clo. *Ell P* —3B **48**
Girton Rd. *Ell P* —3B **48**
Girtrell Clo. *Wir* —2D **16**
Girtrell Rd. *Wir* —2D **16**
Girvan Dri. *L Nes* —1D **42**
Glade, The. *Wir* —4F **7**
Gladstone Clo. *Birk* —1G **19**
Gladstone Hall Rd. *Wir* —4H **27**
Gladstone Rd. *Nest* —5C **36**
Gladstone Rd. *Wall* —2H **11**
Gladstone St. *Birk* —1G **19**
Gladstone St. *Liv* —2E **13**
Gladstone Ter. Will —5B **38**
(off Neston Rd.)
Glaisher St. *Liv* —5H **5**
Glasgow St. *Birk* —5B **20**
Glasier Rd. *Wir* —4C **8**
Gleaston Clo. *Wir* —2A **34**
Gleave Cres. *Liv* —1H **13**
Glebe Hey Rd. *Wir* —4G **17**
Glebelands Rd. *Wir* —5E **9**
Glebe Rd. *Wall* —5E **3**
Glebeway Way. *Ell P* —2D **48**
Gleggside. *Wir* —5E **15**
Glegg St. *Liv* —1D **12**
Glenalmond Rd. *Wall* —1H **11**
Glenathol Rd. *Gt Sut* —3C **46**
Glenavon Rd. *Pren* —6E **19**
Glenburn Av. *Wir* —1G **39**
Glenburn Rd. *Wall* —2H **11**
Glencoe Rd. *Gt Sut* —3C **46**
Glencoe Rd. *Wall* —5F **3**
Glendale Clo. *Liv* —4H **21**
Glendale Gro. *Wir* —1H **33**
Glendower St. *Boot* —2E **5**
Glendyke Rd. *Gt Sut* —3C **46**
Gleneagles Clo. *Wir* —6B **24**
Gleneagles Rd. *Gt Sut* —2C **46**
Glenesk Rd. *Gt Sut* —3C **46**
Glenfield Clo. *Pren* —4B **10**
Glenfield Clo. *Wir* —4B **8**

Glenham Clo.—Hambledon Dri.

Glenham Clo.—Hambledon Dri.

Glenham Clo. *Wir* —5G **7**
Glenmarsh Clo. *Wir* —4D **26**
Glenmaye Rd. *Gt Sut* —3C **46**
Glenmore Rd. *Pren* —3E **19**
Glen Pk. Rd. *Wall* —4E **3**
Glen Rd. *Gt Sut* —2C **46**
Glen Ronald Dri. *Wir* —2D **16**
Glen, The. *Wir* —6A **28**
Glenton Pk. *L Nes* —1D **42**
Glentree Clo. *Wir* —2D **16**
Glenwood Clo. *L Sut* —1C **46**
Glenwood Dri. *Wir* —2A **24**
Glenwood Gdns. *L Sut* —1C **46**
Glenwood Rd. *L Sut* —1C **46**
Globe St. *Liv* —4G **5**
Gloucester Clo. *Gt Sut* —6A **46**
Gloucester Pl. *Liv* —2H **13**
Gloucester Rd. *Wall* —5C **2**
Gloucester St. *Liv* —3F **13**
Glover St. *Birk* —3G **19**
Glover St. *Liv* —1F **21**
Glyn Av. *Brom* —4C **34**
Glyn Rd. *Wall* —6F **3**
Golden Gro. *Liv* —2H **5**
Goldie St. *Liv* —4H **5**
Goldsmith Rd. *Pren* —6D **18**
Goldsmith Way. *Pren* —6D **18**
Golf Links Rd. *Birk* —6F **19**
Gonville Rd. *Boot* —1F **5**
Goodakers Ct. Wir —5G **17**
  (off Goodakers Mdw.)
Goodakers Mdw. *Wir* —5G **17**
Goodall Pl. *Liv* —2G **5**
Goodall St. *Liv* —2G **5**
Goodison Av. *Liv* —3H **5**
Goodison Pk. —2H **5**
Goodison Pl. *Liv* —2H **5**
Goodison Rd. *Liv* —2H **5**
Goodwood Dri. *Wir* —2F **9**
Goodwood Gro. *Gt Sut* —4D **46**
Goodwood St. *Liv* —6F **5**
Goose Grn., The. *Wir* —4F **7**
Goostrey Clo. *Wir* —2H **33**
Gordon Av. *Brom* —4C **34**
Gordon Av. *Grea* —4E **17**
Gordon Ct. *Wir* —4E **17**
Gordon Rd. *Wall* —4F **3**
Gordon St. *Birk* —1G **19**
Gordon Ter. Will —5B **38**
  (off Neston Rd.)
Goree. *Liv* —4D **12**
Gore St. *Liv* —1G **21**
Gorsebank St. *Wall* —2G **11**
Gorse Cres. *Wall* —3G **11**
Gorsedale Pk. *Wall* —3H **11**
Gorsedale Rd. *Wall* —3F **11**
Gorsefield Av. *Wir* —6B **34**
Gorsefield Clo. *Wir* —6B **34**
Gorsefield Rd. *Birk* —4G **19**
Gorsehill Rd. *Wall* —2E **3**
Gorsehill Rd. *Wir* —2C **30**
Gorse La. *Wir* —6G **15**
Gorse Rd. *Wir* —5F **7**
Gorsey La. *Wall* —2F **11**
Gorseyville Cres. *Wir* —4E **27**
Gorseyville Rd. *Wir* —4E **27**
Gorstons La. *L Nes* —1E **43**
Gorst St. *Liv* —4H **5**
Goschen St. *Eve* —4H **5**
Goschen St. *Pren* —5D **10**
Gosford St. *Liv* —3H **21**
Gotham Rd. *Wir* —1G **33**
Gothic St. *Birk* —5B **20**
Gourleys La. *Wir* —6F **15**
Government Rd. *Wir* —6D **6**
Gower St. *Liv* —5E **13**
Gowy Ct. *Ell P* —5E **41**
Grace Rd. *Ell P* —1H **47**
Grace St. *Liv* —3H **21**
Gradwell St. *Liv* —4F **13**
Grafton Cres. *Liv* —1F **21**
Grafton Dri. *Wir* —3H **17**
Grafton Gro. *Liv* —3E **21**
Grafton Rd. *Ell P* —2G **41**
Grafton Rd. *Wall* —4F **3**
Grafton St. *Liv* —4H **21**
  (Beresford Rd.)
Grafton St. *Liv* —1F **21**
  (Grafton Cres.)
Grafton St. *Liv* —2G **21**
  (Park St.)
Grafton St. *Liv* —1F **21**
  (Parliament St.)

Grafton St. *Pren* —2F **19**
Grafton Wlk. *Wir* —5E **15**
Graham Av. *Gt Sut* —2D **46**
Graham Rd. *Wall* —4C **14**
Grainger Av. *Pren* —5D **18**
Grainger Av. *Wir* —3D **14**
Grain Ind. Est. *Liv* —3G **21**
Grain St. *Liv* —3G **21**
Grammar School La. *Wir* —6F **15**
Grampian Av. *Wir* —5F **9**
Grampian Way. *East* —6C **34**
Grampian Way. *L Nes* —2C **42**
Grampian Way. *More* —5E **9**
Granary Way. *Liv* —1F **21**
Granby Cres. *Wir* —1G **33**
Grange. —5F 15
Grange Av. *Wall* —5F **3**
Grange Cres. *Chil T* —4A **40**
Grange Cross Clo. *Wir* —6G **15**
Grange Cross Hey. *Wir* —6G **15**
Grange Cross La. *Wir* —6G **15**
Grange Dri. *Hes* —2C **30**
Grange Dri. *Thor H* —4A **32**
Grange Farm Cres. *Wir* —4G **15**
Grange Mt. *Hes* —2B **30**
Grange Mt. *Pren* —2G **19**
Grange Mt. *W Kir* —5F **15**
Grange Old Rd. *Wir* —5E **15**
Grange Pavement. *Birk* —1A **20**
Grange Pl. *Birk* —1G **19**
Grange Precinct. *Birk* —1H **19**
Grange Rd. *Birk* —1H **19**
Grange Rd. *Ell P* —2A **48**
Grange Rd. *Hes* —1B **30**
Grange Rd. *W Kir* —5C **14**
Grange Rd. E. *Birk* —1A **20**
Grange Rd. W. *Pren & Birk* —1F **19**
Grange, The. *Wall* —1G **11**
Grange Va. *Birk* —6C **20**
Grange Vw. *Pren* —2G **19**
Grantham Clo. *Wir* —5A **24**
Granton Rd. *Liv* —5H **5**
Grant Rd. *Wir* —1H **9**
Granville Clo. *Wall* —5C **2**
Granville Dri. *L Sut* —6B **40**
Grappenhall Rd. *Gt Sut* —3F **47**
Grappenhall Way. *Pren* —6A **10**
Grasmere Av. *Pren* —2A **18**
Grasmere Ct. Birk —2G **19**
  (off Penrith St.)
Grasmere Dri. *Wall* —5E **3**
Grasmere Rd. *Ell P* —5A **48**
Grasmere Rd. *Nest* —1C **42**
Grassmoor Clo. *Wir* —3C **34**
Grass Wood Rd. *Wir* —5H **17**
Grasville Rd. *Birk* —4A **20**
Gratrix Rd. *Wir* —3B **34**
Graylands Rd. *Wir* —3A **28**
Grayson St. *Liv* —1E **13**
Greasby. —4D 16
Greasby Coronation Pk. —4E **17**
Greasby Dri. *Gt Sut* —3E **47**
Greasby Hill Rd. *Wir* —6E **15**
Greasby Rd. *Grea* —4C **16**
Greasby Rd. *Wall* —1E **11**
Gt. Charlotte St. *Liv* —4F **13**
  (in two parts)
Gt. Crosshall St. *Liv* —3E **13**
Gt. George Pl. *Liv* —6G **13**
Gt. George Sq. *Liv* —5F **13**
Gt. George St. *Liv* —6G **13**
Gt. Homer St. *Liv* —5F **5**
Gt. Homer St. Shop. Cen. *Liv* —6G **5**
Gt. Howard St. *Liv* —2D **12**
Great Meols. —4H 7
Gt. Mersey St. *Liv* —5E **5**
  (in two parts)
Gt. Nelson St. *Liv* —1F **13**
Gt. Newton St. *Liv* —3H **13**
Gt. Orford St. *Liv* —4H **13**
Gt. Richmond St. *Liv* —2F **13**
Great Sutton. —3D 46
Gt. Western Ho. *Birk* —6B **12**
Greaves St. *Liv* —2H **21**
Grecian Ter. *Liv* —5G **5**
Greek St. *Liv* —3G **13**
Greenacre Dri. *Wir* —4A **34**
Greenacres Clo. *Pren* —5A **10**
Greenacres Ct. *Pren* —5A **10**
Green Acres Est. *Wir* —5C **16**
Green Av. *Wall* —3F **3**
Green Bank. *Wir* —1A **32**

Greenbank Av. *L Sut* —6C **40**
Greenbank Av. *Wall* —4F **3**
Greenbank Dri. *Wir* —6C **24**
Greenbank Rd. *Birk* —4G **19**
Greenbank Rd. *Wir* —3D **14**
Greencroft Rd. *Wall* —2G **11**
Greendale Rd. *Wir* —3G **27**
Greenfield La. *Wir* —1H **29**
Greenfield Rd. *L Sut* —6B **40**
Greenfields. —5A 10
Greenfields Av. *Wir* —4A **34**
Greenfields Clo. *L Nes* —2D **42**
Greenfields Cres. *Wir* —4A **34**
Greenfields Cft. *L Nes* —2C **42**
Greenfields Dri. *L Nes* —2D **42**
Greenfield Way. *Wall* —1F **11**
Greengables Clo. *Liv* —2H **21**
Greengates Cres. *Nest* —2C **42**
Green Haven. *Pren* —2B **18**
Greenheath Way. *Wir* —2F **9**
Greenhey Clo. *Pren* —2G **25**
Greenheys Rd. *Wall* —1F **11**
Greenheys Rd. *Wir* —4G **23**
Greenhow Av. *Wir* —4D **14**
Greenland St. *Liv* —6F **13**
Green La. *Beb* —4F **27**
Green La. *Birk* —3A **20**
Green La. *Brom & East* —3C **34**
Green La. *Ell P* —3A **48**
Green La. *Gt Sut* —3C **46**
  (in four parts)
Green La. *Liv* —4G **13**
Green La. *Wall* —6A **2**
  (in two parts)
Green Lawn. *Birk* —6B **20**
Green Lawn Gro. *Birk* —6B **20**
Green Lawns Dri. *Gt Sut* —6A **46**
Greenlea Clo. *Beb* —3F **27**
Greenlea Clo. *Whitby* —5H **47**
Greenleas Rd. *Wall* —5B **2**
Green Mt. *Wir* —2G **17**
Greenock St. *Liv* —2D **12**
Greenside. *Liv* —2H **13**
Green St. *Liv* —1E **13**
Green, The. *Brom P* —4B **28**
Green, The. *Cald* —2B **22**
Green, The. *Ell P* —5H **47**
Green, The. *L Nes* —1D **42**
Green, The. *Nest* —5B **36**
Green, The. *Will* —5B **38**
Green, The. *Wir* —1G **37**
Greenville Clo. *Wir* —4F **27**
Greenville Rd. *Wir* —4F **27**
Greenway. *Brom* —6B **28**
Greenway. *Grea* —3E **17**
Green Way. *Hes* —5A **24**
Greenway Rd. *Birk* —4H **19**
Greenwood La. *Wall* —6G **3**
Greenwood Rd. *Meol* —5G **7**
Greenwood Rd. *Upt* —4H **17**
Greetham St. *Liv* —5F **13**
Gregson Ct. *Wall* —3G **3**
Gregson St. *Liv* —2H **13**
Grenfell Clo. *Park* —4A **36**
Grenfell Pk. *Park* —4A **36**
Grennan Ct. *Wall* —3F **3**
Grennan, The. *Wall* —3F **3**
Grenville Cres. *Wir* —4A **34**
Grenville Dri. *Wir* —6A **24**
Grenville Rd. *Birk* —4B **20**
Grenville Rd. *Nest* —4C **36**
Grenville St. S. *Liv* —5F **13**
Grenville Way. *Birk* —4B **20**
Gresford Av. *Pren* —5E **19**
Gresford Av. *Wir* —4E **15**
Greystoke Clo. *Wir* —3F **17**
Greystones. *Gt Sut* —3D **46**
Grey St. *Liv* —6H **13**
  (in two parts)
Griffin Av. *Wir* —5E **9**
Griffin Trust Mus. —3C **40**
Griffiths Clo. *Wir* —4C **16**
Griffiths St. *Liv* —5G **13**
Grindley Gdns. *Ell P* —5A **48**
Grinshill Clo. *Liv* —1H **21**
Grisedale Rd. *Old I* —3C **34**
Grizedale Rd. *Liv* —5H **5**
Grosvenor Av. *Wir* —5D **14**
Grosvenor Ct. *Pren* —2F **19**
Grosvenor Dri. *Wall* —3F **3**
Grosvenor Pl. *Pren* —2E **19**
Grosvenor Rd. *Pren* —1E **19**
Grosvenor Rd. *Wall* —3F **3**

Grosvenor Rd. *Walt* —1G **5**
Grosvenor Rd. *Wir* —1D **14**
Grosvenor St. *Liv* —1F **13**
Grosvenor St. *Wall* —6F **3**
Grove Av. *Wir* —2B **30**
Groveland Av. *Wall* —5B **2**
Groveland Av. *Wir* —6D **6**
Groveland Rd. *Wall* —4B **2**
Grovelands. Liv —5H **13**
  (off Groveside)
Grove Mt. *Birk* —3A **20**
Grove Pl. *Liv* —6G **5**
Grove Pl. *Wir* —6D **6**
Grove Rd. *Birk* —6B **20**
Grove Rd. *Wall* —5C **2**
Grove Rd. *Wir* —6D **6**
Grove Side. *Liv* —5H **13**
Groveside. *Wir* —5C **14**
Grove Sq. *Wir* —2G **27**
Groves, The. *Liv* —6H **13**
Groves, The. *Pren* —2E **19**
Groves, The. *Whitby* —6B **46**
Grove St. *Edg H* —5H **13**
Grove St. *Wir* —2H **27**
Grove Ter. *Wir* —6D **6**
Grove, The. *Pren* —4F **19**
Grove, The. *Wall* —2G **11**
Grove, The. *Wir* —3G **27**
Grove Way. *Liv* —5H **13**
Grovewood Ct. *Pren* —4F **19**
Grundy St. *Liv* —5D **4**
Guardian Ct. *Wir* —6E **15**
Guelph Pl. *Liv* —3H **13**
Guelph St. *Liv* —3H **13**
Guernsey Dri. *Ell P* —6A **48**
Guffitts Clo. *Wir* —4G **7**
Guffitt's Rake. *Wir* —4G **7**
Guildford St. *Wall* —1H **11**
Guinea Gap. *Wall* —2A **12**
Guinea Gap Baths &
  Recreation Cen. —2A **12**
Gulls Way. *Wir* —3H **29**
Gunn Gro. *Nest* —5D **36**
Gurnall St. *Liv* —4H **5**
Gwendoline Clo. *Wir* —4D **24**
Gwendoline St. *Liv* —1H **21**
Gwent St. *Liv* —1H **21**
Gwladys St. *Liv* —2H **5**
Gwydir St. *Liv* —2H **21**

H

Hackins Hey. *Liv* —3E **13**
Hackthorpe St. *Liv* —4G **5**
Haddock St. *Liv* —2D **4**
Haddon Dri. *Wir* —5B **24**
Haddon La. *Ness* —3F **43**
  (in two parts)
Haddon Rd. *Birk* —5C **20**
Hadfield Av. *Wir* —6E **7**
Hadley Av. *Wir* —2A **34**
Hadlow Gdns. *Birk* —3A **20**
Hadlow La. *Will* —6B **38**
Hadlow Rd. *Will* —6B **38**
Hadlow Rd. *Wir* —2B **44**
Hadlow Ter. *Will* —6B **38**
Hadwens Bldgs. *Liv* —3E **13**
Hahneman Rd. *Liv* —1G **5**
Haig Av. *Wir* —5F **9**
Haigh St. *Liv* —1H **13**
  (in two parts)
Halcyon Rd. *Birk* —3G **19**
Haldane Av. *Birk* —6D **10**
Haldane Rd. *Liv* —1H **5**
Hale Rd. *Wall* —5G **3**
Hale Rd. *Walt* —2G **5**
Hale St. *Liv* —3E **13**
Half Crown St. *Liv* —5E **5**
Halkyn Dri. *Liv* —6H **5**
Hall Dri. *Wir* —4D **16**
Hallfield Pk. *Gt Sut* —3D **46**
Hall La. *Kens* —3H **13**
Hallville Rd. *Wall* —2G **11**
Hallwood Ct. *Nest* —6C **36**
Hallwood Dri. *Led* —3E **45**
Halsall Grn. *Wir* —2H **33**
Halsbury Rd. *Wall* —5F **3**
Halstead Rd. *Wall* —2G **11**
Halton Cres. *Grea* —4B **16**
Halton Cres. *Gt Sut* —5F **47**
Halton Rd. *Gt Sut* —6E **47**
Halton Rd. *Wall* —5E **3**
Halton Way. *Gt Sut* —6E **47**
Hambledon Clo. *L Sut* —1A **46**
Hambledon Dri. *Wir* —3C **16**

Hamil Clo. *Wir* —4G **7**
Hamilton Clo. *Park* —3A **36**
Hamilton Ct. *Nest* —5D **36**
Hamilton La. *Birk* —6A **12**
Hamilton Rd. *Liv* —6H **5**
Hamilton Rd. *Wall* —3E **3**
Hamilton Sq. *Birk* —6A **12**
Hamilton St. *Birk* —1A **20**
(in two parts)
Hamlet Rd. *Wall* —5D **2**
Hampden Gro. *Birk* —3H **19**
Hampden Rd. *Birk* —3H **19**
Hampden St. *Liv* —1H **5**
Hampstead Rd. *Wall* —2G **11**
Hampton Clo. *Nest* —1C **42**
Hampton Cres. *Nest* —1C **42**
Hampton Gdns. *Ell P* —2G **47**
Hampton St. *Liv* —6H **5**
Handfield Pl. *Liv* —6H **5**
Handfield St. *Liv* —6H **5**
Handford Av. *Wir* —6D **34**
Hankin St. *Liv* —5F **5**
Hannah Clo. *Wir* —6A **24**
Hanns Hall Rd. *Nest & Will* —5G **37**
Hanover Clo. *Pren* —1D **18**
Hanover St. *Liv* —4E **13**
Hanson Pk. *Pren* —2C **18**
Hans Rd. *Liv* —2H **5**
Hapton St. *Liv* —5G **5**
Harborne Dri. *Wir* —1F **33**
Harcourt Av. *Wall* —2A **12**
Harcourt St. *Birk* —6G **11**
Harcourt St. *Liv* —4F **5**
Hardie Av. *Wir* —4C **8**
Harding Av. *Wir* —5F **27**
Harding Clo. *Liv* —6H **5**
Hardknott Rd. *Old I* —2C **34**
Hardman St. *Liv* —5G **13**
Hardy Clo. *Gt Sut* —4F **47**
Hardy St. *Liv* —6F **13**
(in two parts)
Harebell St. *Liv* —4F **5**
Harewood Av. *L Sut* —3B **46**
Harewood Rd. *Wall* —4E **3**
Harfield Gdns. *L Sut* —2C **46**
Hargrave Av. *Pren* —4C **18**
Hargrave Clo. *Pren* —4C **18**
Hargrave Dri. *Gt Sut* —2E **47**
Hargrave La. *Will* —6F **33**
Harker St. *Liv* —2G **13**
Harland Rd. *Birk* —3H **19**
Harlech Ct. *Ell P* —4B **48**
Harlech St. *Wir* —5F **27**
Harlech St. *Liv* —2G **5**
Harlech St. *Wall* —3A **12**
Harlech Way. *Ell P* —4B **48**
Harley Av. *Wir* —1C **26**
Harlian Av. *Wir* —6D **8**
Harlow St. *Liv* —3G **21**
Harn, The. *Gt Sut* —4C **46**
Harper St. *Liv* —3H **13**
Harpur Clo. *Gt Sut* —3D **46**
Harrington Av. *Wir* —6E **7**
Harrington Rd. *Brun B* —3G **21**
Harrington St. *Liv* —4E **13**
Harrington Vw. *Wall* —6H **3**
Harris Clo. *Wir* —1G **33**
Harrison Dri. *Wall* —4B **2**
Harrison Pk. —4C **2**
Harrisons Ter. *L Sut* —1C **46**
Harrison's Yd. *Wir* —4C **2**
Harrison Way. *Brun B* —3F **21**
Harrock Wood Clo. *Wir* —3A **24**
Harrogate Clo. *Wir* —1F **39**
Harrogate Dri. *Liv* —6H **5**
Harrogate Rd. *Birk* —6C **20**
Harrogate Rd. *Wir* —1F **39**
Harrogate Wlk. *Birk* —1G **27**
Harrowby Rd. *Wall* —1H **11**
Harrowby Rd. S. *Birk* —3G **19**
Harrowby St. *Liv* —6H **13**
Harrow Clo. *Wall* —6D **2**
Harrow Gro. *Wir* —3C **34**
Harrow Rd. *Ell P* —3B **48**
Harrow Rd. *Wall* —6D **2**
Hartford Clo. *Pren* —4D **18**
Harthill M. *Pren* —4A **18**
Hartington Av. *Birk* —6F **11**
Hartington Rd. *Wall* —1F **11**
Hartismere Rd. *Wall* —2H **11**
Hartley Clo. *Liv* —4H **5**

Hartley Quay. *Liv* —5D **12**
Hartnup St. *Liv* —5H **5**
(in two parts)
Hart St. *Liv* —3G **13**
Harvester Way. *Wir* —3C **16**
Harvest La. *Wir* —4D **8**
Harvey Av. *Wir* —4D **16**
Harvey Rd. *Wall* —5E **3**
Hassal Rd. *Birk* —1G **27**
Hatchmere Clo. *Pren* —4D **18**
Hatherley St. *Liv* —6H **13**
Hatherley St. *Wall* —3A **12**
Hatton Av. *Wir* —2G **39**
Hatton Clo. *Wir* —2H **29**
Hatton Garden. *Liv* —3E **13**
Hatton Garden Ind. Est. *Liv* —3E **13**
(off Hatton Garden)
Hawarden Av. *Pren* —1F **19**
Hawarden Av. *Wall* —1G **11**
Hawarden Ct. *Wir* —5F **27**
Hawarden Gdns. *Ell P* —5B **48**
Hawick Clo. *L Sut* —2A **46**
Hawke St. *Liv* —4G **13**
Hawkhurst Clo. *Liv* —3H **21**
Hawkins Rd. *Nest* —4D **36**
Hawkshead Clo. *Croft B* —2C **34**
Hawksmore Clo. *Wir* —1D **16**
Hawkstone St. *Liv* —2H **21**
Hawks Way. *Wir* —3A **30**
Hawthorn Dri. *Hes* —1B **30**
Hawthorn Dri. *W Kir* —5G **15**
Hawthorne Dri. *Will* —4D **38**
Hawthorne Gro. *Wall* —3A **12**
Hawthorne Rd. *Birk* —4H **19**
Hawthorne Rd. *Lith & Boot* —1F **5**
Hawthorn La. *Wir* —3B **34**
Hawthorn Rd. *L Sut* —1C **46**
Hawthorn Rd. *Park* —3A **36**
Hawthorns, The. *Ell P* —6F **41**
Haycroft Clo. *Gt Sut* —5D **46**
Haydock Rd. *Wall* —4G **3**
Hayfield Pl. *Wir* —5G **9**
Hayfield St. *Liv* —4H **5**
Haylock Clo. *Liv* —3H **21**
Hazel Clo. *Gt Sut* —6F **47**
Hazel Ct. *Liv* —3H **21**
(off Byles St.)
Hazeldene Av. *Wall* —6E **3**
Hazeldene Av. *Wir* —3D **24**
Hazeldene Way. *Wir* —3D **24**
Hazel Gro. *Beb* —5E **27**
Hazel Gro. *Irby* —2H **23**
Hazel Rd. *Birk* —2H **19**
Hazel Rd. *Wir* —6E **7**
Hazelwood. *Wir* —2D **16**
Headington Rd. *Wir* —2D **16**
Headland Clo. *Wir* —6D **14**
Head St. *Liv* —1G **21**
Heath Av. *Whitby* —6G **47**
Heathbank Av. *Wall* —2E **11**
Heathbank Av. *Wir* —2G **23**
Heathbank Rd. *Birk* —4H **19**
Heath Clo. *Wir* —1A **22**
Heathcote Gdns. *Wir* —4F **27**
Heathcote Rd. *Liv* —1H **5**
Heath Ct. *L Sut* —1B **46**
Heath Dale. *Wir* —6F **27**
Heath Dri. *Hes* —2B **30**
Heath Dri. *Upt* —2G **17**
Heather Bank. *Wir* —3D **26**
Heather Brow. *Pren* —6D **10**
Heather Clo. *Gt Sut* —4E **47**
Heather Clo. *Kirk* —3H **5**
Heather Ct. *Liv* —3H **5**
Heatherdale Clo. *Birk* —4F **19**
Heather Dene. *Wir* —6B **28**
Heatherdene Rd. *Wir* —4D **14**
Heatherland. *Wir* —3H **17**
Heatherleigh. *Wir* —3C **22**
Heather Rd. *Beb* —5D **26**
Heather Rd. *Hes* —2C **30**
Heathfield. *Wir* —1B **34**
Heathfield Ho. *Wir* —3C **24**
Heathfield Rd. *Beb* —4F **27**
Heathfield Rd. *Ell P* —2H **47**
Heathfield Rd. *Pren* —3G **19**
Heathfield St. *Liv* —4E **13**
Heath Gro. *L Sut* —6B **40**
Heathlands Rd. *L Sut* —1B **46**
Heathlands, The. *Wir* —2E **9**
Heath La. *Will* —4E **39**
Heath Moor Rd. *Wir* —4D **8**
Heath Rd. *Wir* —4E **27**

Heathside. *Wir* —2H **29**
Heathway. *Wir* —4D **30**
Heatley Clo. *Pren* —6A **10**
Hector Pl. *Liv* —2F **5**
Helena St. *Birk* —2A **20**
Helena St. *Walt* —1H **5**
Helmingham Gro. *Birk* —3A **20**
Helsby Av. *Wir* —2H **39**
Helton Clo. *Pren* —4C **18**
Hemingford Clo. *Gt Sut* —4D **46**
Hemingford St. *Birk* —1H **19**
Hemsworth Av. *L Sut* —2C **46**
Henderson Clo. *Wir* —1D **16**
Hendon Wlk. *Wir* —4C **16**
Henglers Clo. *Liv* —2H **13**
Henley Clo. *Nest* —1C **42**
Henley Clo. *Wir* —1G **33**
Henley Rd. *Nest* —1C **42**
Henry Edward St. *Liv* —2F **13**
Henry St. *Birk* —1A **20**
Henry St. *Liv* —5F **13**
Henthorne Rd. *Wir* —1H **27**
Henthorne St. *Pren* —2G **19**
Herberts La. *Wir* —4B **30**
Herculaneum Ct. *Liv* —4H **21**
Herculaneum Rd. *Liv* —3G **21**
Hereford Av. *Gt Sut* —6A **46**
Hereford Av. *Wir* —1F **17**
Heriot St. *Liv* —5F **5**
Heriot Wlk. *Liv* —5F **5**
Herm Rd. *Liv* —6E **5**
Heron Ct. *Park* —6A **36**
Heronpark Way. *Wir* —1H **33**
Heron Rd. *Meol & W Kir* —6H **7**
Hero St. *Boot* —1F **5**
Herschell St. *Liv* —5H **5**
Hertford Dri. *Wall* —5G **3**
Hertford Rd. *Boot* —1E **5**
Hesketh Av. *Birk* —6H **19**
Hesketh Dri. *Wir* —2C **30**
Hessle Dri. *Wir* —4B **30**
Hesslewell Ct. *Wir* —2C **30**
Heswall. —3B **30**
Heswall Av. *Wir* —1C **26**
Heswall Golf Course. —6C **30**
Heswall Mt. *Wir* —4C **24**
Heswall Rd. *Gt Sut* —3D **46**
Hetherlow Towers. *Liv* —1H **5**
Hewitts Pl. *Liv* —3E **13**
Heyes Dri. *Wall* —1A **10**
Heyes St. *Liv* —6H **5**
Heyfield Pk. Rd. *L Sut* —6B **40**
Heygarth Dri. *Wir* —3D **16**
Heygarth Rd. *Wir* —6C **34**
Heys Av. *Wir* —3B **34**
Heys, The. *Wir* —6D **34**
Heythrop Dri. *Wir* —3F **31**
Heyville Rd. *Wir* —3E **27**
Heywood Boulevd. *Wir* —3C **24**
Heywood Clo. *Wir* —3C **24**
Heywood Rd. *Gt Sut* —2C **46**
Heyworth St. *Liv* —6H **5**
Hickmans Rd. *Birk* —4F **11**
Highacre Rd. *Wall* —4E **3**
Higham Sq. *Liv* —1G **13**
High Bank Clo. *Pren* —2B **18**
Highcroft Av. *Wir* —4F **27**
Highcroft Grn. *Wir* —4G **27**
Highcroft, The. *Wir* —4F **27**
Higher Bebington Rd. *Wir* —3D **26**
Highfield Clo. *Nest* —5C **36**
Highfield Clo. *Wall* —1E **11**
Highfield Ct. *Birk* —6B **20**
Highfield Cres. *Birk* —6B **20**
Highfield Dri. *Wir* —3D **16**
Highfield Gro. *Birk* —6B **20**
Highfield Rd. *Birk* —5B **20**
Highfield Rd. *Ell P* —2A **48**
Highfield Rd. *L Sut* —1B **46**
Highfield Rd. *Pren* —6B **20**
Highfield Rd. N. *Ell P* —1A **48**
Highfields. *Hes* —2B **30**
Highfield S. *Birk* —1F **27**
Highfield St. *Liv* —2E **13**
(in two parts)
Highgate Clo. *Wir* —1B **30**
Highgreen Rd. *Birk* —4G **19**
Highpark Rd. *Birk* —4G **19**
High Pk. St. *Liv* —2H **21**
High St. *Brom* —2C **34**
High St. *Liv* —3E **13**
High St. *Nest* —5C **36**
Higson Ct. *Liv* —4H **21**

Hilary Dri. *Wir* —1G **17**
Hilbre Av. *Wall* —1E **11**
Hilbre Av. *Wir* —5A **30**
Hilbre Ct. *Wir* —6C **14**
Hilbre Dri. *Ell P* —6A **48**
Hilbre Rd. *Wir* —6D **14**
Hilbre St. *Birk* —5H **11**
Hilbre St. *Liv* —4G **13**
Hilbre Vw. *Wir* —5E **15**
Hillaby Clo. *Liv* —1H **21**
Hillam Rd. *Wall* —5B **2**
Hillary Rd. *Wir* —6B **34**
Hill Bark Rd. *Wir* —5B **16**
Hillburn Dri. *Birk* —4C **10**
Hill Clo. *Ness* —2F **43**
Hill Ct. *Ness* —2F **43**
Hill Crest. *Boot* —1G **5**
Hillcrest Dri. *L Sut* —1A **46**
Hillcrest Dri. *Upt* —4G **16**
Hillcrest Rd. *L Sut* —1B **46**
Hillcroft Rd. *Wall* —2G **11**
Hillfield Dri. *Wir* —1B **30**
Hillfield Rd. *L Sut* —6D **40**
Hillfoot Clo. *Pren* —5A **10**
Hill Gro. *Wir* —6E **9**
Hillhead Rd. *Boot* —1G **5**
Hillingdon Av. *Wir* —1C **30**
Hill Ridge. *Pren* —2B **18**
Hill Rd. *Pren* —6C **10**
Hillsdown Way. *Gt Sut* —5C **46**
Hillside Clo. *Birk* —3A **20**
Hillside Clo. *Boot* —1G **5**
Hillside Dri. *Birk* —3A **20**
Hillside Dri. *Ell P* —5E **41**
Hillside Rd. *Birk* —3A **20**
Hillside Rd. *Hes* —4C **30**
Hillside Rd. *Pren* —5B **10**
Hillside Rd. *Wall* —1D **10**
Hillside Rd. *W Kir* —5F **15**
Hillside Rd. *Wir* —2H **13**
Hillside Vw. *Pren* —4E **19**
Hill St. *Liv* —1F **21**
(in two parts)
Hill St. Bus. Cen. *Liv* —1F **21**
(off Hill St.)
Hilltop La. *Hes* —3D **30**
Hill Top La. *Ness* —2F **43**
Hillview Av. *Wir* —4D **14**
Hillview Ct. *Pren* —5A **10**
Hill Vw. Dri. *Wir* —1G **17**
Hillview Mans. *Wir* —4D **14**
(off Lang La.)
Hill Vw. Rd. *Wir* —2G **23**
Hillwood Clo. *Wir* —2F **33**
Hilton Clo. *Birk* —1G **19**
Hilton Gro. *Wir* —4C **14**
Hinderton Clo. *Birk* —3A **20**
Hinderton Dri. *Hes* —5B **30**
Hinderton Dri. *W Kir* —6G **15**
Hinderton La. *Nest* —4E **37**
Hinderton Rd. *Birk* —2A **20**
Hinderton Rd. *Nest* —5D **36**
Hind St. *Birk* —2A **20**
Hinson St. *Birk* —1A **20**
Historic Warships. —4H **11**
H.M. Customs & Excise Mus.
—5E **13**
Hobhouse Ct. *Pren* —1F **19**
Hoblyn Rd. *Pren* —5C **10**
Hockenhall All. *Liv* —3E **13**
Hockenhull Clo. *Wir* —1G **33**
Hodder Pl. *Liv* —5H **5**
Hodder Rd. *Liv* —5H **5**
Hodder St. *Liv* —5G **5**
Hodson Pl. *Liv* —1H **13**
Hogarth Wlk. *Liv* —3F **5**
Holborn Hill. *Birk* —3A **20**
Holborn Sq. *Birk* —3A **20**
Holborn St. *Liv* —3H **13**
Holcombe Clo. *Wir* —3D **16**
Holin Ct. *Pren* —6D **10**
Holland Gro. *Wir* —2B **30**
Holland Rd. *Wall* —4G **3**
Holly Av. *Wir* —6F **27**
Hollybank Ct. *Birk* —2H **19**
Hollybank Rd. *Birk* —2H **19**
Holly Ct. *Liv* —5H **5**
Hollyfield Rd. *Ell P* —2H **47**
Holly Gro. *Birk* —3A **20**
Holly Pl. *Wir* —6F **9**
Holly Rd. *Ell P* —2A **48**
Holm Cotts. *Pren* —5D **18**
Holme St. *Liv* —4D **4**

Holmesway—King's La.

Holmesway. *Wir* —5B **24**
Holmfield. *Pren* —5D **18**
Holmfield Dri. *Gt Sut* —4D **46**
Holm Hey Rd. *Pren* —5D **18**
Holm Hill. *Wir* —6E **15**
Holmlands Cres. *Pren* —5C **18**
Holmlands Dri. *Pren* —5C **18**
Holmlands Way. *Pren* —5D **18**
Holm La. *Pren* —5D **18**
Holm Oak Way. *Gt Sut* —6A **46**
Holmside Clo. *Wir* —5F **9**
Holmside La. *Pren* —5D **18**
Holm Vw. Clo. *Pren* —4E **19**
Holmville Rd. *Pren* —3E **27**
Holmway. *Wir* —4F **27**
Holmwood Av. *Wir* —4E **25**
Holmwood Dri. *Hes* —4E **25**
Holmwood Dri. *Whitby* —4H **47**
Holt Av. *Wir* —5E **9**
Holt Hey. *Ness* —2E **43**
Holt Hill. *Birk* —3A **20**
Holt Hill Ter. *Birk* —2H **19**
Holt Rd. *Birk* —3A **20**
Holy Cross Clo. *Liv* —2F **13**
Holywell Clo. *Park* —4A **36**
Homecrofts. *Nest* —2C **42**
Home Farm Clo. *Wir* —5A **18**
Home Farm Rd. *Wir* —5H **17**
Homestead M. *Wir* —4D **14**
Honeysuckle Clo. *Gt Sut* —6A **46**
Hood St. *Wall* —2H **11**
Hookstone Dri. *L Sut* —1C **46**
Hoole Rd. *Wir* —4H **17**
Hoose Ct. *Wir* —6E **7**
Hooton. —3A 40
Hooton Grn. *Hoot* —3A **40**
Hooton La. *Hoot* —4B **40**
Hooton Rd. *Will & Hoot* —5C **38**
Hooton Way. *Hoot* —3H **39**
Hooton Works Ind. Est. *Hoot* —4G **39**
Hope Cotts. Chil T —5A 40
(off New Rd.)
Hope Cft. *Gt Sut* —5F **47**
Hope Farm Precinct. *Gt Sut* —5F **47**
Hope Farm Rd. *Gt Sut* —6E **47**
Hope Pl. *Liv* —5G **13**
Hope St. *Birk* —6H **11**
Hope St. *Liv* —6G **13**
Hope St. *Wall* —3F **3**
Hope Ter. *Birk* —4H **19**
Hope Way. *Liv* —5H **13**
Hopfield Rd. *Wir* —5F **9**
Hopwood St. *Liv* —6E **5**
(in two parts)
Horace Black Gdns. *Ell P* —1A **48**
Horatio St. *Birk* —1H **19**
Horbury Gdns. *L Sut* —2C **46**
Hornbeam Av. *Gt Sut* —6F **47**
Hornbeam Clo. *Wir* —5B **8**
Hornby Av. *Wir* —2A **34**
Hornby Ct. *Wir* —2A **34**
Hornby Rd. *Wir* —2A **34**
Hornby St. *Birk* —1B **20**
Hornby St. *Liv* —1F **13**
Hornby Wlk. *Liv* —1E **13**
Horseman Pl. *Wall* —3A **12**
Horsfall Gro. *Liv* —3G **21**
Horsfall St. *Liv* —3G **21**
Horstone Cres. *Gt Sut* —5F **47**
Horstone Gdns. *Gt Sut* —5G **47**
Horstone Rd. *Gt Sut* —5F **47**
Hoscote Pk. *Wir* —5C **14**
Hose Side Rd. *Wall* —4D **2**
Hospital Rd. *Wir* —3H **27**
Hotham St. *Liv* —3G **13**
Hothfield Rd. *Wall* —2H **11**
Hotspur St. *Boot* —2E **5**
Houghton La. *Liv* —4F **13**
Houghton Rd. *Wir* —3H **17**
Houghton St. *Liv* —4F **13**
Houghton Way. Liv —4F 13
(off St Johns Cen.)
Houlgrave Clo. *Wir* —6E **5**
Hourd Way. *Gt Sut* —6A **46**
Howard Av. *Wir* —3B **34**
Howard Ct. *Nest* —4D **36**
Howards Rd. *Wir* —3D **24**
Howards Way. *L Nes* —1E **43**
Howbeck Clo. *Pren* —1D **18**
Howbeck Ct. *Pren* —2D **18**
Howbeck Dri. *Pren* —1D **18**
Howbeck Rd. *Pren* —2D **18**

Howell Dri. *Wir* —5D **16**
Howell Rd. *Wir* —2G **27**
Howells Av. *Gt Sut* —4C **46**
Howe St. *Boot* —2D **4**
Howgill Clo. *L Sut* —1H **45**
Howson St. *Birk* —5B **20**
Hoyer Ind. Est. *Ell P* —3D **48**
Hoylake. —1D 14
Hoylake Municipal Golf Course.
—2D **14**
Hoylake Rd. *Birk* —3B **10**
Hoylake Rd. *Wir* —6B **8**
Hoyle Rd. *Wir* —5D **6**
Huddleston Clo. *Wir* —4A **18**
Hudson Rd. *Wir* —1G **9**
Hughes La. *Pren* —4F **19**
Hughson St. *Liv* —2G **21**
Hulmewood. *Wir* —2G **27**
Humber Clo. *Liv* —3G **5**
Humber Rd. *Gt Sut* —5F **47**
Humber St. *Birk* —4D **10**
Hume Ct. *Wir* —5E **7**
Hunstanton Clo. *Wir* —6G **9**
Hunter St. *Liv* —3F **13**
Hunters Way. *Park* —5A **36**
Huntingdon Clo. *Wir* —5B **8**
Hurford Av. *Gt Sut* —3F **47**
Hurrell Rd. *Birk* —4B **10**
Hurst Bank. *Pren* —1F **27**
Hurst St. *Liv* —5E **13**
(in two parts)
Huskisson St. *Liv* —6H **13**
Huxley Clo. *Wir* —5B **8**
Huxley Ct. *Ell P* —5F **41**
Hyacinth Gro. *Wir* —3H **9**
Hyde Clo. *Gt Sut* —3F **47**
Hydro Av. *Wir* —6D **14**
Hylton Av. *Wall* —1E **11**
Hylton Ct. *Ell P* —5C **48**
Hyslop St. *Liv* —1G **21**

Iffley Clo. *Wir* —2D **16**
Ikin Clo. *Pren* —4A **10**
Ilchester Rd. *Birk* —4D **10**
Ilchester Rd. *Wall* —2H **11**
Ilford Av. *Wall* —2F **11**
Ilford St. *Liv* —3G **13**
Iliad St. *Liv* —1G **13**
Ilsley Clo. *Wir* —3F **17**
Imison St. *Liv* —1G **5**
Imison Way. *Liv* —1G **5**
Imperial Av. *Wall* —6G **3**
Imperial Bldgs. Liv —3E 13
(off Exchange St. E.)
Imperial M. *Ell P* —1H **47**
Imrie St. *Liv* —1H **5**
Ince Av. *Wir* —2G **39**
Ince Clo. *Pren* —3D **18**
Ince Gro. *Pren* —4D **18**
Inchcape Rd. *Wall* —6B **2**
Index St. *Liv* —2F **5**
Ingestre Rd. *Pren* —4E **19**
Ingleborough Rd. *Birk* —5H **19**
Ingleby Rd. *Wall* —2E **11**
Ingleby Rd. *Wir* —1H **27**
Inglegreen. *Wir* —3D **30**
Inglemere Rd. *Birk* —5A **20**
Ingleton Clo. *Wir* —3D **16**
Inglewood. *Wir* —6D **8**
Inglewood Av. *Wir* —6D **8**
Inley Clo. *Wir* —1G **33**
Inley Rd. *Wir* —1F **33**
Inman Rd. *Wir* —1E **17**
Innisfree Clo. *Gt Sut* —2C **46**
Intake Clo. *Will* —5C **38**
Inveresk Rd. *Pren* —1C **18**
Inward Way. *Ell P* —6H **41**
Ionic St. *Birk* —5B **20**
Irby. —3H 23
Irby Av. *Wall* —1E **11**
Irby Clo. *Gt Sut* —3E **47**
Irby Cricket Club Ground. —1G **23**
Irby Heath. —3G 23
Irby Hill. —1G 23
Irbymill Hill. —6C 16
Irby Rd. *Wir* —4H **23**
Irbyside Rd. *Wir* —6B **16**
Ireton St. *Liv* —1H **5**
Iris Av. *Birk* —5D **10**
Irlam Rd. *Boot* —1D **4**
Ironbridge Vw. *Liv* —3G **21**
Irvine St. *Liv* —5H **19**

Irvine Ter. *Wir* —1H **27**
Irwell Chambers. Liv —3D 12
(off Union St.)
Irwell St. *Liv* —4D **12**
Isaac St. *Liv* —3H **21**
Islay Clo. *Ell P* —6A **48**
Islington. *Liv* —3G **13**
Islington Sq. *Liv* —2H **13**
Islip Clo. *Wir* —2H **23**
Ismay Dri. *Wall* —6H **3**
Ismay St. *Liv* —2H **5**
Ivor Rd. *Wall* —4H **11**
Ivy Av. *Wir* —4E **27**
Ivydale Rd. *Birk* —4A **20**
Ivy Farm Dri. *L Nes* —1D **42**
Ivy La. *Wir* —3E **9**
Ivy St. *Birk* —1B **20**

Jack McBain Ct. *Liv* —1E **13**
Jackson Clo. *Wir* —1F **27**
Jackson St. *Birk* —2A **20**
Jacob St. *Liv* —3H **21**
Jamaica St. *Liv* —6F **13**
James Av. *Gt Sut* —4C **46**
Jamesbrook Clo. *Birk* —5E **11**
James Clarke St. *Liv* —1E **13**
James Hopkins Way. *Liv* —4F **5**
James Larkin Way. *Liv* —4F **5**
James St. *Liv* —4E **13**
James St. *Pren* —3G **19**
James St. *Wall* —3A **12**
Jarrow Clo. *Pren* —3F **19**
Jasmine Clo. *Liv* —6H **5**
Jasmine Clo. *Wir* —6D **8**
Jasmine M. *Liv* —4H **21**
Jason St. *Liv* —5G **5**
Jason Wlk. *Liv* —5G **5**
Jedburgh Av. *L Sut* —1H **45**
Jeffreys Dri. *Wir* —2D **16**
Jellicoe Clo. *Wir* —3B **22**
Jenkinson St. *Liv* —2G **13**
Jersey Av. *Ell P* —6A **48**
Jessamine Rd. *Birk* —4A **20**
Jessica Ho. *Liv* —2F **5**
Joan Av. *Grea* —3E **17**
Joan Av. *More* —5D **8**
Jocelyn Clo. *Wir* —6G **27**
John Bagot Clo. *Liv* —6G **5**
John F. Kennedy Heights. Liv
—1G **13**
John Moores Clo. *Liv* —5H **13**
John Nicholas Cres. *Ell P* —1A **48**
Johnson Rd. *Pren* —6D **18**
Johnson St. *Liv* —3E **13**
John St. *Birk* —6B **12**
John St. *Ell P* —1H **47**
John St. *Liv* —2G **13**
John Willis Ho. *Birk* —5C **20**
Jones St. *Liv* —4G **13**
Jonson Rd. *Nest* —4C **36**
Jordan St. *Liv* —6F **13**
Joseph Groome Towers. Ell P
—1A **48**
Joshua Clo. *Liv* —5G **5**
Jubilee Cres. *Wir* —4H **27**
Jubilee Dri. *Wir* —3D **14**
Juliet Av. *Wir* —2E **27**
Juliet Gdns. *Wir* —2E **27**
Junct. Eight Bus. Cen. *Ell P* —1G **47**
Junct. One Retail Pk. *Wall* —2B **10**
June Av. *Wir* —3C **34**
Juniper Clo. *Wir* —5C **16**
Juniper Dri. *Gt Sut* —6E **47**
Juniper Gro. *Gt Sut* —6F **47**
Juniper St. *Liv* —3E **5**
Juvenal Pl. *Liv* —1G **13**
Juvenal St. *Liv* —1F **13**

Kale Clo. *Wir* —6D **14**
Karen Way. *Gt Sut* —4D **46**
Karslake Rd. *Wall* —2H **11**
Kearsley Clo. *Liv* —4G **5**
Kearsley St. *Liv* —4G **5**
Keats Clo. *Gt Sut* —6A **46**
Keble Dri. *Wall* —5B **2**
Keble Rd. *Boot* —2E **5**
Kedleston St. *Liv* —3H **21**
Keegan Dri. *Wall* —3A **12**
Keele Clo. *Pren* —3A **10**
Keepers La. *Wir* —4B **26**
Keighley Av. *Wall* —6C **2**

Keightley St. *Birk* —6G **11**
Keith Av. *Liv* —2H **5**
Keith Dri. *Wir* —6A **34**
Kellet's Pl. *Birk* —4B **20**
Kellett Rd. *Wir* —2H **9**
Kelmscott Clo. *Gt Sut* —5D **46**
Kelmscott Dri. *Wall* —1C **10**
Kelsall Av. *Wir* —2G **39**
Kelsall Clo. *Pren* —4D **18**
Kelsall Clo. *Wir* —2G **39**
Kelvin Pk. *Wall* —4H **11**
Kelvin Rd. *Birk* —3A **20**
Kelvin Rd. *Wall* —4A **12**
Kelvinside. *Wall* —4H **11**
Kempson Ter. *Wir* —5F **27**
Kempston St. *Liv* —3G **13**
Kempton Rd. *Wir* —1H **27**
Kendal Clo. *Beb* —3F **27**
Kendal Clo. *Gt Sut* —5D **46**
Kendal Dri. *Gt Sut* —5D **46**
Kendal Rd. *Wall* —3E **11**
Kendal St. *Birk* —1A **20**
Kenilworth Ct. *Ell P* —4C **48**
(in two parts)
Kenilworth Dri. *Wir* —4B **24**
Kenilworth Gdns. *Wir* —1E **17**
Kenilworth Rd. *Nest* —1C **42**
Kenilworth Rd. *Wall* —2H **11**
Kenmore Clo. *Pren* —6C **18**
Kennet Rd. *Wir* —4D **26**
Kensington. *Liv* —3H **13**
Kensington Gdns. *Wir* —5F **9**
Kensington Rd. *Ell P* —2G **47**
Kent Clo. *Wir* —3H **33**
Kent Gdns. *Liv* —5F **13**
Kentmere Dri. *Wir* —6B **24**
Kent M. *Pren* —3E **19**
Kent Pl. *Birk* —1H **19**
Kentridge Dri. *Gt Sut* —4D **46**
Kent Rd. *Wall* —2E **11**
Kent St. *Liv* —5F **13**
(in two parts)
Kent St. *Pren* —3E **19**
Kenwick Clo. *Gt Sut* —4C **46**
Kenwyn Rd. *Wall* —6F **3**
Kenyon Ter. *Pren* —2F **19**
Keppel St. *Boot* —2D **4**
Kerry Cft. *Gt Sut* —6E **47**
Kestrel Av. *Wir* —1D **16**
Kestrel Clo. *Wir* —1D **16**
Kestrel Rd. *Hes* —4E **31**
Kestrel Rd. *More* —5C **8**
Keswick Av. *Wir* —1E **39**
Keswick Gdns. *Wir* —6A **34**
Keswick Pl. *Pren* —4B **10**
Keswick Rd. *Wall* —4D **2**
Kevelioc Clo. *Wir* —6F **27**
Kew St. *Liv* —6F **5**
Kiddman St. *Liv* —1H **5**
Kilburn Av. *Wir* —5C **34**
Killarney Gro. *Wall* —2E **11**
Killington Way. *Liv* —3G **5**
Kilmalcolm Clo. *Pren* —3D **18**
Kiln Rd. *Wir* —4G **17**
Kimberley Clo. *Liv* —6H **13**
Kimberley Rd. *Wall* —5F **3**
Kimberley St. *Pren* —5D **10**
Kindale Rd. *Pren* —6C **18**
Kinder St. *Liv* —2H **13**
King Edward Dri. *Wir* —3H **27**
King Edward St. *Liv* —3D **12**
Kingfisher Way. *Wir* —1D **16**
King George Dri. *Wall* —5G **3**
King George's Dri. *Wir* —3H **27**
King George's Way. *Pren* —6C **10**
Kinglake Rd. *Wall* —6H **3**
Kinglass Rd. *Wir* —6H **27**
King's Av. *Wir* —5F **7**
King's Dri. *Cald* —2A **22**
King's Dri. *Thing* —4B **24**
King's Dri. N. *Wir* —6G **15**
King's Gap, The. *Wir* —6C **6**
Kingsland Rd. *Birk* —3G **19**
King's La. *Wir* —2D **26**

60 A-Z Wirral

Kingsley Av. *Wir* —2G **39**
Kingsley Clo. *Wir* —6C **24**
Kingsley Rd. *Ell P* —2A **48**
Kingsley Rd. *Wall* —2F **11**
Kingsley St. *Birk* —5E **11**
Kingsmead Gro. *Pren* —2D **18**
Kingsmead Rd. *Pren* —2D **18**
Kingsmead Rd. *Wir* —3F **9**
Kingsmead Rd. N. *Pren* —2D **18**
Kingsmead Rd. S. *Pren* —2D **18**
Kings M. *L Sut* —6C **40**
Kings Mt. *Pren* —3F **19**
Kings Pde. *Liv* —5E **13**
King's Pde. *Wall* —3B **2**
King's Rd. *Beb* —1D **26**
King's Rd. *Boot* —1E **5**
Kings Rd. *L Sut* —6C **40**
Kings Sq. *Birk* —1A **20**
Kings Ter. *Boot* —2E **5**
Kingston Clo. *Wir* —5E **9**
King St. *Birk* —6C **20**
King St. *Ell P* —1A **48**
King St. *Wall* —6H **3**
Kingsville Rd. *Wir* —4E **27**
Kings Wlk. *Birk* —6C **20**
Kings Wlk. *Wir* —5E **15**
Kingsway. *Beb* —2D **26**
Kingsway. *Hes* —5E **31**
Kingsway. *Wall* —5E **3**
(Belvidere Rd.)
Kingsway. *Wall* —2B **12**
(Seacombe Promenade)
Kingsway Pk. *Liv* —1F **13**
Kingsway Tunnel App. *Wall*
—1C **10**
Kings Wharf. *Birk* —4A **12**
Kingswood Boulevd. *Wir* —1E **27**
Kingswood Rd. *Wall* —6G **3**
Kington Rd. *Wir* —4C **14**
Kinloss Rd. *Wir* —4C **16**
Kinmel Clo. *Birk* —6H **11**
Kinmel St. *Liv* —2H **21**
Kinnaird Rd. *Wall* —5E **3**
Kinnerley Rd. *Whitby* —4G **47**
Kinnerton Clo. *Wir* —5B **8**
Kinnington Way. *Dunk* —6A **46**
Kinross Rd. *Wall* —5B **2**
Kinsey Rd. *Ell P* —6B **48**
Kintore Clo. *Wir* —1E **39**
Kintyre Clo. *Ell P* —6A **48**
Kipling Av. *Birk* —6B **20**
Kirby Clo. *Wir* —6E **15**
Kirby Mt. *Wir* —1A **22**
Kirby Pk. *Wir* —6E **15**
Kirby Pk. Mans. *Wir* —6D **14**
Kirkburn Clo. *Liv* —3H **21**
Kirk Cotts. *Wall* —4F **3**
Kirkdale. —3G 5
Kirkdale Rd. *Liv* —5F **5**
Kirkdale Va. *Liv* —4G **5**
Kirket Clo. *Wir* —5G **27**
Kirket La. *Wir* —5F **27**
Kirkfield Gro. *Birk* —6C **20**
Kirkland Av. *Birk* —5H **19**
Kirkland Rd. *Wall* —3G **3**
Kirklands, The. *Wir* —6E **15**
Kirkmount. *Wir* —2G **17**
Kirk St. *Liv* —5G **5**
Kirkway. *Beb* —2D **26**
Kirkway. *Grea* —3E **17**
Kirkway. *Wall* —4F **3**
Kirkway. *Wir* —2F **17**
Kitchen St. *Liv* —2F **5**
Knap, The. *Wir* —5C **30**
Knaresborough Rd. *Wall* —1D **10**
Knight St. *Liv* —5G **13**
Knoll, The. *Pren* —4E **19**
Knottingley Dri. *Gt Sut* —2C **46**
Knowe, The. *Will* —5C **38**
Knowle Clo. *Gt Sut* —4E **47**
Knowles St. *Birk* —6G **11**
Knowsley Clo. *Birk* —6C **20**
Knowsley Ct. *Birk* —6C **20**
Knowsley Rd. *Birk* —6C **20**
Knowsley Rd. *Wall* —5C **3**
Knowsley St. *Liv* —1H **5**
Knox Clo. *Wir* —3H **27**
Knox St. *Birk* —1B **20**
Knutsford Grn. *Wir* —4F **9**
Knutsford Rd. *Wir* —4E **9**
Kronsbec Av. *L Sut* —1D **5**
Kylemore Av. *Wir* —6A **24**
Kylemore Dri. *Wir* —6A **24**

Kylemore Rd. *Pren* —3E **19**
Kylemore Way. *Wir* —6A **24**

***L**aburnum Ct. *Liv* —3H **21**
(off Weller Way)
Laburnum Farm Clo. *Ness* —2E **43**
Laburnum Gro. *Irby* —3H **23**
Laburnum Gro. *Whitby* —6B **46**
Laburnum Rd. *Pren* —3F **19**
Laburnum Rd. *Wall* —4F **3**
Lace St. *Liv* —2F **13**
Ladies Wlk. *Nest* —5C **36**
Lad La. *Liv* —3D **12**
Lady Chapel Clo. *Liv* —6G **13**
Ladyewood Rd. *Wall* —2G **11**
Ladyfield. *Pren* —6A **10**
Lady Lever Art Gallery. —3G **27**
Laird Clo. *Birk* —5D **10**
Lairdside Technical Pk. *Birk* —3B **20**
Lairds Pl. *Liv* —1H **5**
Laird St. *Birk* —5D **10**
Lake Dri. *Gt Sut* —6A **46**
Lakeland Clo. *Liv* —5F **13**
Lake Pl. *Wir* —6D **6**
Lake Rd. *Wir* —6D **6**
Lakeside Ct. *Wall* —3G **3**
Lake St. *Liv* —4H **5**
Lambert St. *Liv* —3G **13**
(off Islington)
Lambert Way. *Liv* —3G **13**
Lambeth Rd. *Liv* —4F **5**
Lambeth Wlk. *Liv* —4F **5**
Lambourne Clo. *Gt Sut* —6A **46**
Lamport St. *Liv* —1G **21**
Lancaster Av. *Wall* —6F **3**
Lancaster Clo. *Kirk* —5F **5**
Lancaster Clo. *Wir* —3H **27**
Lancaster Gdns. *Ell P* —4B **48**
Lancaster St. *Kirk* —5F **5**
Lancaster Wlk. *Kirk* —5F **5**
Lance Clo. *Liv* —6H **5**
Lancelots Hey. *Liv* —3D **12**
Lancelyn Ct. *Wir* —6G **27**
Lancelyn Precinct. Wir —6G **27**
(off Spital Rd.)
Lancelyn Ter. *Wir* —5F **27**
Lancers Cft. *Gt Sut* —6E **47**
Lancing Rd. *Ell P* —3B **48**
Landican. —1E 25
Landican La. *Upt & High B* —6A **18**
Landican Rd. *Wir* —2D **24**
Landmark, The. *Liv* —6G **5**
Landor Clo. *Liv* —6E **5**
Landseer Av. *L Nes* —6D **36**
Landseer Rd. *Liv* —6H **5**
Langdale Av. *Wir* —5B **24**
Langdale Rd. *Wall* —4D **2**
Langdale Rd. *Wir* —5E **27**
Langfield Gro. *Wir* —6B **34**
Langham Ct. *Liv* —3H **5**
Langham St. *Liv* —3H **5**
Lang La. *Wir* —4D **14**
Lang La. S. *Wir* —5E **15**
Langley Clo. *Wir* —1G **33**
Langley Ct. *Ell P* —4C **48**
Langley Rd. *Wir* —1G **33**
Langley St. *Liv* —1G **21**
Langrove St. *Liv* —6G **5**
Langsdale St. *Liv* —2G **13**
(in two parts)
Langstone Av. *Wir* —5C **16**
Langtry Clo. *Liv* —2F **5**
Langtry Rd. *Liv* —3F **5**
Lansdowne Clo. *Birk* —5E **11**
Lansdowne Ct. *Pren* —5D **10**
Lansdowne Pl. *Liv* —5H **5**
Lansdowne Pl. *Pren* —5D **10**
Lansdowne Rd. *Pren & Birk* —5D **10**
Lansdowne Rd. *Wall* —4D **2**
Lanyork Rd. *Liv* —2D **12**
Lapworth Cl. *Liv* —5F **5**
Lapworth St. *Liv* —5F **5**
Larch Ct. Liv —3H **21**
(off Weller Way)
Larchdale Clo. *Whitby* —6A **46**
Larch Gro. *Pren* —5C **10**
Larch Rd. *Birk* —2G **19**
Larchwood Clo. *Wir* —6B **24**
Larchwood Dri. *Wir* —2E **27**
Larcombe Av. *Wir* —2F **17**
Larkhill Av. *Wir* —6G **9**
Larkhill Way. *Wir* —6G **9**

Larkin Clo. *Wir* —2G **27**
Larksway. *Wir* —3D **30**
Larton Rd. *Wir* —4G **15**
Latchford Rd. *Wir* —5D **30**
Latham St. *Liv* —5F **5**
(in two parts)
Latham Way. *Wir* —1H **33**
Lathom Av. *Wall* —1F **11**
Latimer St. *Liv* —5F **5**
Laund, The. *Wall* —6D **2**
Laurel Av. *Beb* —5E **27**
Laurel Av. *Hes* —2B **30**
Laurelbanks. *Wir* —2A **30**
Laurel Dri. *Whitby* —5H **47**
Laurel Dri. *Will* —4D **38**
Laurelhurst Av. *Wir* —5C **24**
Laurel Rd. *Birk* —3H **19**
Laurels, The. *Wir* —2E **9**
Laurelwood Dri. *Gt Sut* —6E **47**
Laurence Deacon Ct. *Birk* —6G **11**
Lavan Clo. *Liv* —2H **13**
Lavan St. *Liv* —2H **13**
Lavrock Bank. *Liv* —3G **21**
Lawford Dri. *Wir* —3E **31**
Lawns Av. *Wir* —5H **33**
Lawnside Clo. *Birk* —6B **20**
Lawns, The. *Pren* —6B **10**
Lawton St. *Liv* —4F **13**
Laxey St. *Liv* —1G **21**
Laxton Clo. *Gt Sut* —6A **46**
Layton Av. *Pren* —5D **18**
Leach Way. *Wir* —3G **23**
Lea Clo. *Pren* —3C **18**
Leadenhall Clo. *Liv* —5H **5**
Leadenhall St. *Liv* —5H **5**
Leafield Clo. *Wir* —3B **24**
Leamington Clo. *Nest* —1C **42**
Leamington Gdns. *Wir* —3H **17**
Leander Rd. *Wall* —6E **3**
Lea Rd. *Wall* —6G **3**
Leas Clo. *Gt Sut* —2C **46**
Leasowe. —1G 9
Leasowe Av. *Wall* —5C **2**
Leasowe Gdns. *Wir* —2E **9**
Leasowe Recreation Cen. —2G **9**
Leasowe Rd. *Wir & Wall* —2D **8**
Leasoweside. *Wir* —1H **9**
Leas, The. *Wall* —4C **2**
Leas, The. *Wir* —3D **24**
Leather La. *Liv* —3E **13**
Leaway. *Wir* —3D **16**
Leawood Gro. *Wir* —5F **9**
Ledbury Clo. *Pren* —5C **18**
Ledsham. —6H 45
Ledsham Clo. *Pren* —3C **18**
Ledsham Ct. *L Sut* —1B **46**
Ledsham Hall La. *Led* —2G **45**
Ledsham La. *Led* —3G **45**
Ledsham Pk. Dri. *L Sut* —1A **46**
Ledsham Rd. *L Sut* —2H **45**
Leece St. *Liv* —5G **13**
Leeds St. *Liv* —2D **12**
Lee Rd. *Wir* —6E **7**
Lees Av. *Birk* —5B **20**
Lees La. *Ell P* —3B **48**
Lees La. *L Nes & Nest* —1E **43**
Leeswood Rd. *Wir* —4G **17**
Legh Rd. *Wir* —2H **27**
Legion La. *Wir* —2B **34**
Leigh Bri. Way. *Liv* —6E **5**
Leigh Pl. *Liv* —4F **13**
Leigh Rd. *Wir* —4D **14**
Leigh St. *Liv* —4F **13**
(in three parts)
Leighton Av. *Wir* —5G **7**
Leighton Chase. *Nest* —4B **36**
Leighton Pk. *Nest* —5B **36**
Leighton Rd. *Birk* —3A **20**
Leighton Rd. *Nest* —5B **36**
Leightons, The. *Nest* —5B **36**
Leighton St. *Liv* —2G **5**
Leison St. *Liv* —4F **5**
(in two parts)
Leiston Clo. *Wir* —2A **24**
Lemon Clo. *Liv* —5F **5**
Lennox Av. *Wall* —6F **3**
Lennox La. *Pren* —4A **10**
Lenthall St. *Liv* —2H **5**
Leominster Rd. *Wall* —1F **11**
Leonard Ho. *Wall* —4B **12**
Leonora St. *Liv* —3H **21**
Leopold St. *Wall* —2A **12**

Leslie Av. *Wir* —4D **16**
Lester Clo. *Liv* —4G **5**
Lester Dri. *Wir* —2G **23**
Lestock St. *Liv* —6G **13**
Leta St. *Liv* —2H **5**
(in two parts)
Lethbridge Clo. *Liv* —5E **5**
Letitia St. *Liv* —2H **21**
Letterstone Clo. *Liv* —1H **13**
Letterstone Wlk. *Liv* —1H **13**
Levens Hey. *Wir* —5D **8**
Leven St. *Liv* —3G **5**
Leven Wlk. *Ell P* —6G **41**
Lever Av. *Wall* —3A **12**
Lever Causeway. *Wir* —4A **26**
Leverhulme Ct. *Wir* —5G **27**
Lever Ter. *Birk* —4A **20**
Lewisham Rd. *Wir* —3A **28**
Leyburn Rd. *Wall* —5D **2**
Liberton Ct. *Liv* —5H **5**
Lichfield Dri. *Gt Sut* —6A **46**
Lichfield St. *Wall* —4G **3**
Liddell Ct. *Wall* —6B **2**
Lightbody St. *Liv* —6D **4**
Lightfoot Clo. *Wir* —4D **30**
Lightfoot La. *Wir* —4D **30**
Lighthouse Rd. *Wir* —1D **14**
Lilac Gro. *Whitby* —6B **46**
Lillie Clo. *Pren* —5A **10**
Lillyfield. *Wir* —5B **30**
Limbo La. *Wir* —1H **23**
Lime Av. *Wir* —5D **26**
Limehurst Gro. *Wir* —5B **34**
Limekiln Ct. *Liv* —6F **5**
Limekiln La. *Liv* —6F **5**
(in two parts)
Limekiln La. *Wall* —3E **11**
Limes, The. *Wir* —2F **17**
Lime St. *Ell P* —6H **41**
Lime St. *Liv* —3F **13**
Lime Tree Clo. *Whitby* —6B **46**
Lime Tree Gro. *Wir* —3E **31**
Linacre Ct. *Boot* —1E **5**
Lincoln Clo. *Wall* —5G **3**
Lincoln Gdns. *Birk* —4E **11**
Lincoln Rd. *Gt Sut* —4D **46**
Lincoln St. *Birk* —4E **11**
Linden Clo. *Gt Sut* —6A **46**
Linden Dri. *Pren* —6C **18**
Linden Gro. *Wall* —4F **3**
Lindens, The. *Pren* —2G **19**
Lindeth Av. *Wall* —2F **11**
Lindfield Clo. *Liv* —6F **5**
Lindisfarne Av. *Ell P* —6A **48**
Lind St. *Liv* —2H **5**
Lindwall Clo. *Wir* —4A **10**
Linear Pk. *Wir* —4C **8**
Lingdale Av. *Pren* —1D **18**
Lingdale Ct. *Pren* —6D **10**
Lingdale Rd. *Pren* —6D **10**
Lingdale Rd. *Wir* —4C **14**
Lingdale Rd. N. *Birk* —6D **10**
Lingham Clo. *Wir* —4D **8**
Lingham La. *Wir* —2C **8**
Lingham Pk. —5C **8**
Links Av. *L Sut* —6C **40**
Links Clo. *Wall* —4D **2**
Links Clo. *Wir* —5H **33**
Links Hey Rd. *Wir* —3C **22**
Linkside. *Wir* —2D **26**
Linkside Way. *Gt Sut* —6A **46**
Links Vw. *L Sut* —6C **40**
Links Vw. *Pren* —2C **18**
Links Vw. *Wall* —3D **2**
Linksway. *Wall* —4D **2**
Linnets Way. *Wir* —3A **30**
Linton St. *Liv* —2H **5**
Linwood Rd. *Birk* —4A **20**
Lions Clo. *Pren* —1D **18**
Lipton Clo. *Boot* —1D **4**
Liscard. —6F 3
Liscard Cres. *Wall* —6F **3**
Liscard Gro. *Wall* —1E **11**
Liscard Ho. *Wall* —1F **11**
Liscard Rd. *Wall* —1F **11**
Liscard Village. *Wall* —6F **3**
Liscard Way. *Wall* —1F **11**
Liston St. *Liv* —1H **5**
Litcham Clo. *Wir* —6H **9**
Litherland Av. *Wir* —4D **8**
Lithou Clo. *Liv* —6E **5**
Lit. Canning St. *Liv* —6H **13**
Lit. Catharine St. *Liv* —6H **13**

Little Ct.—Maud St.

Little Ct. *Liv* —1E **13**
Littledale Rd. *Wall* —2H **11**
Little Grn. *Gt Sut* —4D **46**
Lit. Hardman St. *Liv* —5G **13**
Lit. Howard St. *Liv* —1D **12**
Lit. Huskisson St. *Liv* —6H **13**
Little La. *Park* —4A **36**
Littlemore Clo. *Wir* —2D **16**
Little Neston. —1C 42
Lit. St Bride St. *Liv* —5H **13**
Little Stanney. —6C 48
Lit. Stanney La. *Stoak* —6C **48**
Lit. Storeton La. *Wir* —3A **26**
Little Sutton. —1C 46
Littleton Clo. *Pren* —3C **18**
Lit. Whissage. *Gt Sut* —5F **47**
Lit. Woolton St. *Liv* —4H **13**
Liverpool. —3F 13
Liverpool Anglican Cathedral.
—6G **13**
Liverpool Empire Theatre. —3G **13**
Liverpool F.C. —4H **5**
Liverpool F.C. Visitor Cen. & Mus.
(off Anfield Ground) —4H **5**
Liverpool Institute for the
Performing Arts. —5G **13**
Liverpool Metropolitan Cathedral
(R.C.). —4H **13**
Liverpool Mus. —3F **13**
Liverpool Parish Church. —4D **12**
Liverpool Rd. *Nest* —5C **36**
(in two parts)
Liverpool Town Hall. —4E **13**
Liverpool Watersports Cen. —6F **13**
Liversidge Rd. *Birk* —3H **19**
Liver St. *Liv* —5E **13**
Livingstone Gdns. *Birk* —6G **11**
Livingstone Rd. *Ell P* —2G **41**
Livingstone Rd. *Wir* —1G **9**
Livingstone St. *Birk* —6G **11**
Llandaff Clo. *Gt Sut* —6E **47**
Llanrwst Clo. *Liv* —2G **21**
Lloyd Av. *Birk* —6F **11**
Lloyd Clo. *Liv* —1H **13**
Lloyd Dri. *Ell P* —6B **48**
Lloyd Dri. *Wir* —4C **16**
Lochinvar St. *Liv* —1H **5**
Lochinver Av. *L Sut* —1H **45**
Locker Pk. *Wir* —3C **16**
Lockfields Vw. *Liv* —6E **5**
Lockington Clo. *Liv* —3H **21**
Lock Rd. *Wir* —3E **35**
Loddon Clo. *Wir* —6H **9**
Lodge La. *Wir* —3H **27**
Lodwick St. *Liv* —2D **4**
Logan Rd. *Birk* —4F **11**
Logan Towers. *Liv* —6E **5**
Lois Ct. *Wall* —5G **3**
Lombard Rd. *Wir* —3F **9**
Lombardy Av. *Wir* —5B **16**
Lomond Gro. *Gt Sut* —4F **47**
Lomond Gro. *Wir* —5F **3**
London Rd. *Liv* —3G **13**
(in two parts)
Longacre Clo. *Wall* —6B **2**
Long Acres. *Wir* —2D **16**
Longacres Rd. *Clay L* —3C **36**
Longfellow Dri. *Wir* —2G **27**
Longfield Clo. *Wir* —3D **16**
Long Hey Rd. *Wir* —2C **22**
Longland Rd. *Wall* —5F **3**
Longlooms Rd. *Ell P* —6B **48**
Long Mdw. *Wir* —5B **30**
Longridge Av. *Wir* —1E **17**
Longridge Wlk. *Liv* —3G **5**
Longsight Clo. *Pren* —2G **25**
Longview Av. *Wall* —6E **3**
Longville St. *Liv* —2G **21**
Lonsborough Rd. *Wall* —2G **11**
Lonsdale Av. *Wall* —5E **3**
Looms, The. *Park* —3A **36**
Loomsway. *Wir* —3H **23**
Loraine St. *Liv* —5H **5**
Lord Nelson St. *Liv* —3F **13**
Lords Av. *Pren* —5A **10**
Lord St. *Birk* —6A **12**
Lord St. *Liv* —4E **13**
Loretto Dri. *Wir* —1G **17**
Loretto Rd. *Wall* —6D **2**
Lorne Ct. *Pren* —3F **19**
Lorne Rd. *Pren* —3E **19**
Lorn St. *Birk* —1A **20**
Lothair Rd. *Liv* —4H **5**

Lothian St. *Liv* —1H **21**
Loudon Gro. *Liv* —1H **21**
Lough Grn. *Wir* —1G **33**
Love La. *Liv* —1D **12**
Love La. *Wall* —2E **11**
Lowell St. *Liv* —2H **5**
Lwr. Bank Vw. *Liv* —2D **4**
Lower Bebington. —4G 27
Lwr. Castle St. *Liv* —4E **13**
Lwr. Flaybrick Rd. *Pren* —5C **10**
Lower Grn. *Wir* —4G **17**
Lwr. Mersey St. *Ell P* —2G **41**
Lwr. Mersey Vw. *Liv* —2D **4**
Lwr. Milk St. *Liv* —3E **13**
Lower Rd. *Wir* —3H **27**
Lwr. Thingwall La. *Wir* —3E **25**
Lowfields Av. *Wir* —2F **39**
Lowfields Clo. *Wir* —2G **39**
Low Hill. *Liv* —2H **13**
Lowry Bank. *Wall* —2A **12**
Lowther St. *Liv* —6H **13**
Lowwood Gro. *Birk* —2H **19**
Low Wood Gro. *Wir* —5E **25**
Lowwood Rd. *Birk* —2H **19**
Low Wood St. *Liv* —2H **13**
Loxdale Clo. *Liv* —3H **21**
Loxdale Dri. *Gt Sut* —4F **47**
Lucerne Rd. *Wall* —3H **11**
Ludlow Ct. *Wir* —6D **14**
Ludlow Dri. *Ell P* —4C **48**
Ludlow Dri. *W Kir* —6D **14**
Ludlow Gro. *Wir* —2B **34**
Ludlow St. *Liv* —2H **5**
Luke St. *Liv* —1H **21**
Luke St. *Wall* —3A **12**
Lully St. *Liv* —5H **13**
Lumley Rd. *Wall* —2H **11**
Lundy Dri. *Ell P* —6A **48**
Lupus Way. *Gt Sut* —4F **47**
Luton Gro. *Liv* —3G **5**
Luton Rd. *Ell P* —2F **47**
Luton St. *Liv* —5D **4**
Lutyens Clo. *Liv* —3H **5**
Luxmore Rd. *Liv* —2H **5**
Lycett Rd. *Wall* —6C **2**
Lyceum Pl. *Liv* —4F **13**
Lydbrook Clo. *Birk* —4B **20**
Lydden Rd. *Ell P* —6H **41**
Lydia Ann St. *Liv* —5F **13**
Lydiate La. *Will* —5A **38**
Lydiate, The. *Wir* —4B **30**
Lyle St. *Liv* —6E **5**
Lymington Rd. *Wall* —1D **10**
Lymm Rd. *Pren* —6A **10**
Lynas St. *Birk* —5H **11**
Lyncroft Rd. *Wall* —3G **11**
Lyndale Av. *Wir* —1G **39**
Lyndhurst. *Wir* —4C **14**
Lyndhurst Av. *Wir* —6C **24**
Lyndhurst Clo. *Wir* —4C **24**
Lyndhurst Rd. *Hes* —4G **23**
Lyndhurst Rd. *Hoy* —4H **7**
Lyndhurst Rd. *Wall* —5D **2**
Lyneal Av. *Gt Sut* —5C **46**
Lynnbank. *Pren* —3F **19**
Lynndene. *Ell P* —6D **40**
Lynton Clo. *Wir* —5D **30**
Lynton Dri. *Wir* —6G **27**
Lynton Rd. *Wall* —5C **2**
Lynwood Av. *Wall* —2E **11**
Lynwood Dri. *Wir* —3A **24**
Lyons Clo. *Wir* —4E **9**
Lyons Rd. *Wir* —4E **9**
Lytton Av. *Birk* —6B **20**
Lytton St. *Liv* —2H **13**

M
MacAlpine Clo. *Wir* —1G **17**
Macbeth St. *Liv* —2E **5**
MacDona Dri. *Wir* —6D **14**
Macdonald Dri. *Wir* —4D **16**
Macdonald Rd. *Wir* —5C **8**
MacKenzie Rd. *Wir* —2H **9**
Maddock Rd. *Wall* —6H **3**
Maddock St. *Birk* —5G **11**
Maddrell St. *Liv* —1D **12**
Madelaine St. *Liv* —1H **21**
Madeley Clo. *Wir* —6D **14**
Madeley Dri. *Wir* —6D **14**
Madryn St. *Liv* —2H **21**
Maelor Clo. *Wir* —5A **34**
Magazine Av. *Wall* —4F **3**
Magazine Brow. *Wall* —4G **3**

Magazine La. *Wall* —4F **3**
Magazine Rd. *Wir* —6B **28**
Magazines Promenade. *Wall* —3G **3**
Magdalen Ho. *Boot* —1E **5**
Maghull St. Liv —5E **13**
(off Wapping)
Magnolia Clo. *Gt Sut* —6F **47**
Magnolia Wlk. *Wir* —5C **16**
Magnum St. *Liv* —6H **5**
Mahon Ct. *Liv* —6H **13**
Maiden Gdns. *Ell P* —4B **48**
Main Rd. *Wir* —5H **27**
Mainwaring Rd. *Wall* —2H **11**
Mainwaring Rd. *Wir* —3B **34**
Maitland Rd. *Wall* —3G **3**
Major St. *Liv* —5F **5**
Makepeace Wlk. *Liv* —1H **21**
Makin St. *Liv* —1H **5**
Malcolm Cres. *Wir* —5A **34**
Malcolm Gro. *Liv* —2F **5**
Maldwyn Rd. *Wall* —6F **3**
Mallaby St. *Birk* —5E **11**
Mallard Way. *Wir* —4C **8**
Mallory Rd. *Birk* —5G **19**
Mallory Rd. *Whitby* —6G **19**
Mallowdale Clo. *Wir* —6C **34**
Malmesbury Clo. *Wir* —3C **16**
Malpas Av. *Pren* —5E **19**
Malpas Dri. *Wir* —2E **27**
Malpas Gro. *Wall* —5E **3**
Malpas Rd. *Gt Sut* —3F **47**
Malpas Rd. *Wall* —5D **2**
Malta St. *Liv* —2H **21**
Malta Wlk. *Liv* —2H **21**
Malvern Av. *Ell P* —4A **48**
Malvern Gro. *Birk* —5H **19**
Malvern Rd. *Wall* —6B **2**
Malwood St. *Liv* —3H **21**
Manchester St. *Liv* —3F **13**
Mandeville St. *Liv* —1H **5**
Manesty's La. *Liv* —4F **13**
Manfred St. *Ersk* —3H **13**
Manley Clo. *Pren* —4D **18**
Manners La. *Wir* —5A **36**
Mannington Clo. *Wir* —5G **7**
Mann Island. *Liv* —4D **12**
Mann St. *Liv* —1F **21**
Manor Clo. *Boot* —1G **5**
Manor Clo. *Park* —6A **36**
Manor Dri. *Gt Sut* —5D **46**
Manor Dri. *Wir* —4F **9**
Manor Green. —6A 10
Manor Hill. *Pren* —1E **19**
Manor Ho. *Gt Sut* —5D **46**
Manor Ho. Flats. *Wir* —2B **34**
Manor Ho., The. *Wir* —6F **9**
Manorial Rd. *Park* —5A **36**
Manor La. *Birk* —5C **20**
Manor La. *Gt Sut* —4D **46**
Manor La. *Wall* —6G **3**
Manor M. *Wall* —6G **3**
Manor Pk. Dri. *Gt Sut* —5D **46**
Manor Pl. *Wir* —4B **28**
Manor Rd. *East* —5B **38**
Manor Rd. *Hoy* —5E **7**
Manor Rd. *Irby* —3H **23**
Manor Rd. *Thor H* —2H **31**
Manor Rd. *Wall* —5E **3**
Manorside Clo. *Wir* —1F **17**
Manor Way. *Pren* —6A **10**
Mansfield Rd. *Whitby* —5G **47**
Mansfield St. *Liv* —2G **13**
Manville Rd. *Wall* —4F **3**
Maple Av. *L Sut* —1C **46**
Maple Gro. *Brom* —3A **34**
Maple Gro. *Whitby* —6G **47**
Maples Ct. *Pren* —4E **19**
Maple St. *Birk* —2H **19**
Mapleton Clo. *Pren* —6C **18**
Maple Tree Gro. *Wir* —2E **31**
Maplewood Gro. *Pren* —5C **10**
Marathon Clo. *Liv* —1H **13**
Marble Clo. *Boot* —1E **5**
Marbury Gdns. *Ell P* —1F **47**
Marchwiel Rd. *Ell P* —3B **48**
Marcus St. *Birk* —6H **11**
Mare Hall La. *Nest* —5F **37**
Marfords Av. *Wir* —4A **34**
Margaret Rd. *Walt* —1G **5**
Margaret's La. *Chil T* —6H **39**
Margaret St. *Liv* —1H **13**
Marian Dri. *Wir* —5E **9**
Maria Rd. *Liv* —1H **5**

Marina Dri. *Ell P* —2H **47**
(in two parts)
Marina Wlk. *Ell P* —3H **47**
Marine Dri. *Wir* —4H **29**
Marine Lake. —2F **3**
Marine Pk. *Wir* —3D **14**
Marine Pk. Mans. *Wall* —2F **3**
Marine Promenade. *Wall* —2F **3**
Marine Rd. *Wir* —6C **6**
Mariners Pde. *Liv* —4E **13**
Mariners Pk. Wall —6H **3**
(off Cunard Av.)
Mariners Rd. *Wall* —4G **3**
Mariners Wharf. *Liv* —1E **21**
Marine Ter. *Wall* —4G **3**
Marion St. *Birk* —1A **20**
Maritime Ct. *Wir* —6H **17**
Maritime Grange. *Wall* —3A **12**
Maritime Pk. *Pren* —2F **19**
Maritime Pk. *Pren* —2G **19**
Maritime Pl. *Liv* —2G **13**
Maritime Vw. *Birk* —4H **19**
Maritime Way. *Liv* —5F **13**
Marius Clo. *Liv* —3H **5**
Mark Av. *Gt Sut* —3C **46**
Market Pl. S. *Birk* —1A **20**
Market Sq. *Liv* —4F **13**
(off St Johns Cen.)
Market St. *Birk* —1A **20**
Market St. *Ell P* —3A **48**
Market St. *Wir* —1D **14**
Market Way. Liv —4F **13**
(off St Johns Cen.)
Mark Rake. *Brom & Wir* —2B **34**
Mark St. *Liv* —4G **5**
Mark St. *Wall* —3A **12**
Marksway. *Wir* —5C **24**
Marlborough Gro. *Pren* —3F **19**
Marlborough Pl. *Liv* —2E **13**
Marlborough Rd. *Ell P* —4B **48**
Marlborough Rd. *Wall* —4F **3**
Marlborough St. *Liv* —2E **13**
Marlborough Wlk. *Ell P* —4B **48**
Marlfield La. *Wir* —5C **24**
Marline Av. *Wir* —4A **34**
Marlowe Rd. *Nest* —5C **36**
Marlowe Rd. *Wall* —1E **11**
Marlston Av. *Wir* —4B **24**
Marlwood Av. *Wall* —6C **2**
Marmion Rd. *Wir* —6D **6**
Marmonde St. *Liv* —3G **5**
Marple Clo. *Pren* —4C **18**
Marquis Ho. *Wir* —1H **27**
Marquis St. *Birk* —3A **20**
Marquis St. *Liv* —3G **13**
Marquis St. *Wir* —1H **27**
Marram Clo. *Wir* —4G **9**
Marsden Clo. *Wall* —6H **3**
Marsden St. *Liv* —2H **13**
Marsden Way. *Liv* —2H **13**
Marshall Pl. *Liv* —1E **13**
Marshall St. *Birk* —5G **11**
Marsham Clo. *Wir* —6G **9**
Marshfield Ct. *Wir* —2E **9**
Marshlands Rd. *L Nes* —2B **42**
Marshlands Rd. *Wall* —5C **2**
Marsh La. *Wir* —2C **26**
Marshside Clo. *Liv* —2H **21**
Marsh St. *Kirk* —2F **5**
Marston Clo. *Pren* —4D **18**
Marston Clo. *Wir* —2G **39**
Marston Gdns. *Ell P* —1F **47**
Marten Av. *Wir* —4A **34**
Martin Clo. *Wir* —3G **23**
Martindale Rd. *Croft B* —2C **34**
Martin's La. *Wall* —1G **11**
Martlesham Cres. *Wir* —4B **16**
Marwood Tower. *Liv* —5F **5**
Marybone. *Liv* —2E **13**
Maryland La. *Wir* —4D **8**
Maryland St. *Liv* —5G **13**
(in two parts)
Maryville Clo. *Ell P* —1A **48**
Masefield Clo. *Wir* —2G **27**
Mason Clo. *Gt Sut* —5D **46**
Mason St. *Wall* —3F **3**
Massey Pk. *Wall* —6C **2**
Massey St. *Birk* —5H **11**
Mather Rd. *Pren* —2F **19**
Mathew St. *Liv* —4E **13**
Matthew Clo. *Wall* —3A **12**
Matthew St. *Wall* —3A **12**
Maud St. *Liv* —1H **21**

Maurice Jones Ct. *Wir* —4E **9**
Mavis Dri. *Wir* —4G **17**
Maxwell Clo. *Whitby* —5G **47**
Maxwell Clo. *Wir* —1G **17**
May Av. *Wall* —2H **11**
Maybank Rd. *Birk* —3H **19**
Mayer Av. *Wir* —5F **27**
Mayew Rd. *Wir* —3B **24**
Mayfield Dri. *East* —5F **35**
Mayfield Gdns. *Nest* —4C **36**
Mayfield Rd. *Wall* —6D **2**
Mayfield Rd. *Wir* —6G **27**
Mayfields. *Ell P* —6F **41**
Mayfields. *Liv* —3G **5**
Mayfields Ho. *Wir* —2H **27**
Mayfields N. *Wir* —2H **27**
Mayfields S. *Wir* —2H **27**
May Pl. *Liv* —4G **13**
May Rd. *Wir* —3C **30**
May St. *Liv* —4G **13**
Mazenod Ct. *Liv* —2E **13**
Mazzini Clo. *Liv* —6G **5**
McGarva Way. *Ell P* —3A **48**
McGregor St. *Liv* —6G **5**
McKeown Clo. *Liv* —6F **5**
Meadfoot Rd. *Wir* —4D **8**
Meadowbrook Rd. *Wir* —6D **8**
Meadow Clo. *Nest* —1C **42**
Meadow Clo. *Will* —5B **38**
Meadow Cres. *Wir* —5H **17**
Meadow Cft. *Hes* —2E **31**
Meadow Cft. *Will* —5A **38**
Meadowcroft Rd. *Wir* —4G **7**
Meadowfield Clo. *Birk* —5B **20**
Meadowgate. *Wir* —4B **22**
Meadow La. *Birk* —5B **20**
Meadow La. *Ell P* —1A **48**
Meadow La. *Will* —4A **38**
Meadow La. Ind. Est. *Ell P*
   —1B **48**
Meadow Pk. *Birk* —5B **20**
Meadow Rd. *Wir* —5H **15**
Meadowside. *Wir* —1H **9**
Meadowside Rd. *Wir* —4B **34**
Meadows, The. *L Nes* —1D **42**
Meadow St. *Wall* —3E **3**
Meadow, The. *Wir* —5H **17**
(in two parts)
Meadow Wlk. *Wir* —6A **24**
Meadway. *Hes* —5B **30**
Meadway. *L Sut* —6B **40**
Meadway. *Spit* —1A **34**
Meadway. *Upt* —1H **17**
Meadway. *Wall* —6E **3**
Mealors Weint. *Park* —4A **36**
Meddowcroft Rd. *Wall* —5D **2**
Medea Clo. *Liv* —5G **5**
Medea Towers. *Liv* —5G **5**
Medlock St. *Liv* —3G **5**
Medway Rd. *Birk* —5B **20**
Melbourne St. *Wall* —3E **3**
Melda Clo. *Liv* —2H **13**
Melford Dri. *Pren* —6C **18**
Meliden Gdns. *Birk* —3A **20**
Melksham Dri. *Wir* —2H **23**
Melling Rd. *Wall* —4G **3**
Mellock Clo. *L Nes* —1D **42**
Mellock La. *L Nes* —6D **36**
Melloncroft Dri. *Wir* —1A **22**
Melloncroft Dri. W. *Wir* —2A **22**
Mellor Rd. *Birk* —5G **19**
Melrose. *Wir* —5G **9**
Melrose Av. *Wir* —6D **6**
Melrose Dri. *Gt Sut* —6A **46**
Melrose Gdns. *Pren* —6D **18**
Melrose Rd. *Kirk* —3F **5**
Melton Clo. *Wir* —2E **17**
Melville Av. *Birk* —6C **20**
Melville Pl. *Liv* —5H **13**
Melville Rd. *Wall* —4E **27**
Melville St. *Liv* —2H **21**
Menai St. *Birk* —1G **19**
Mendell Clo. *Wir* —3C **34**
Mendip Clo. *Birk* —6G **19**
Mendip Clo. *Gt Sut* —4E **47**
Mendip Rd. *Birk* —6G **19**
Menlo Clo. *Wir* —3B **24**
Menlo Clo. *Pren* —3D **18**
Meols. —5G **7**
Meols Clo. *Gt Sut* —3E **47**
Meols Dri. *W Kir & Hoy* —3C **14**
Meols Pde. *Wir* —5E **7**
Mercer Dri. *Liv* —4G **5**

Mercer Rd. *Pren* —5C **10**
Mercer Wlk. *Ell P* —3A **48**
Merchants Ho. *Liv* —4E **13**
   (off Lord St.)
Mere Av. *Wir* —5H **33**
Merebank. *Pren* —3C **18**
Mere Clo. *Gt Sut* —5D **46**
Merecroft Av. *Wall* —3G **11**
Mere Farm Gro. *Pren* —3D **18**
Mere Farm Rd. *Pren* —3C **18**
Mere Grn. *Liv* —2H **5**
Mereheath. *Wir* —2E **9**
Mereheath Gdns. *Wir* —2E **9**
   (off Mereheath)
Mere La. *Liv* —5H **5**
Mere La. *Wall* —4C **2**
Mere La. *Wir* —1A **30**
Mere Pk. Rd. *Wir* —4C **16**
Mereworth. *Wir* —3B **22**
Meriden Av. *Wir* —2G **33**
Merlin Av. *Wir* —1D **16**
Merlin Clo. *Wir* —1D **16**
Merlin St. *Liv* —1H **21**
Merrills La. *Wir* —2H **17**
Merritt Av. *Birk* —5F **11**
Merseybank Ho. *Wir* —1H **27**
   (off Merseybank Rd.)
Merseybank Rd. *Wir* —1H **27**
Mersey Ct. *Wall* —3A **12**
   (off Mersey St.)
Mersey La. S. *Birk* —5C **20**
Mersey Mt. *Birk* —4A **20**
Mersey Pk. —4A **20**
Mersey Rd. *Birk* —5C **20**
Merseyside Ho. *Liv* —4E **13**
   (off Lord St.)
Merseyside Maritime Mus. —5E **13**
Merseyside Welcome Cen. —4F **13**
   (off Clayton Sq.)
Merseyside Young Peoples Theatre.
   —4H **13**
Mersey St. *Wall* —3A **12**
Merseyton Rd. *Ell P* —5H **41**
Mersey Tunnel. *Liv* —2C **12**
Mersey Vw. *Wir* —3D **26**
Merton Clo. *Nest* —2C **42**
Merton Dri. *Wir* —4G **17**
Merton Ho. *Boot* —1E **5**
Merton Pl. *Pren* —1G **19**
Merton Rd. *Boot* —1E **5**
Merton Rd. *Gt Sut* —4F **47**
Merton Rd. *Hoot* —2B **40**
Merton Rd. *Wall* —4E **3**
Mesham Clo. *Wir* —2E **17**
Methuen St. *Birk* —5E **11**
Mews Ct. *Will* —5B **38**
Micawber Clo. *Liv* —2H **21**
Michael Dragonette Ct. *Liv* —1E **13**
Middle Rd. *Wir* —3H **27**
Midghall St. *Liv* —2E **13**
Midgley Ct. *Wir* —4H **17**
Midland St. *Pren* —2G **19**
Mile End. *Liv* —1F **13**
Miles Clo. *Wir* —5C **16**
Miles La. *Wir* —5C **16**
Miles St. *Liv* —2H **21**
Milford St. *Liv* —5D **4**
Mill Bank. *Ness* —2E **43**
Mill Bank Rd. *Wall* —2E **11**
Mill Brow. *Wir* —3D **26**
Millburn Heights. *Liv* —6G **5**
Millbutt Clo. *Wir* —3D **26**
Mill Clo. *Birk* —3H **19**
Millers Bri. *Boot* —1D **4**
Millers Bri. Ind. Est. *Mil B* —1D **4**
Millers Clo. *Wir* —5B **8**
Millersdale Clo. *Wir* —6D **34**
Millers Way. *Wir* —5C **8**
Millfield Clo. *Wir* —4D **26**
Millfield Ter. *L Sut* —6C **40**
Mill Grn. *Will* —5B **38**
Mill Hey Rd. *Wir* —3B **22**
Mill Hill. *Pren* —4E **19**
Mill Hill Rd. *Wir* —1G **23**
Millhouse Clo. *Wir* —4B **8**
Millhouse La. *Wir* —4B **8**
Millington Clo. *Pren* —6C **18**
Mill La. *Burt* —6G **43**
Mill La. *Ell P & Gt Sut* —3D **46**
Mill La. *Grea* —4C **16**
Mill La. *Hes* —3D **30**
Mill La. *Liv* —3F **13**
   (in two parts)

Mill La. *Ness* —2E **43**
Mill La. *Wall* —2E **11**
Mill La. *Will* —4A **38**
Mill La. Ind. Est. *Ell P* —6D **48**
Mill Pk. Dri. *Wir* —2G **39**
Mill Rd. *Brom* —6B **28**
Mill Rd. *High B* —2D **26**
Mill Rd. *Liv* —1H **13**
   (in two parts)
Mill Rd. *Thing* —3D **24**
Mill St. *Birk* —3H **19**
Mill St. *Liv* —5H **13**
Mill St. *Nest* —5B **36**
Mill Ter. *Wir* —6H **13**
Millthwaite Ct. *Wall* —1D **10**
Millthwaite Rd. *Wall* —1D **10**
Mill Vw. *Liv* —2G **21**
Mill Vw. Dri. *Wir* —3C **26**
Millwood. *Wir* —3D **26**
Milman Clo. *Wir* —2F **17**
Milman Rd. *Liv* —2H **5**
Milner Cop. *Wir* —3C **30**
Milner Rd. *Wir* —3C **30**
Milner St. *Birk* —5E **11**
Milnthorpe Clo. *Liv* —3G **5**
Milton Cres. *Wir* —2C **30**
Milton Grn. *Wir* —3D **24**
Milton Pavement. *Birk* —1H **19**
Milton Rd. *Birk* —3G **19**
Milton Rd. *Ell P* —3B **48**
Milton Rd. *Walt* —1G **5**
Milton Rd. *Wir* —4C **14**
Milton Rd. E. *Birk* —3H **19**
Minshull St. *Liv* —4H **13**
Minster Ct. *Liv* —6H **13**
Miranda Av. *Wir* —2E **27**
Miranda Pl. *Liv* —2F **5**
Miranda Rd. *Boot & Liv* —1F **5**
Miriam Pl. *Birk* —5D **10**
Miskelly St. *Liv* —3E **5**
Miston St. *Liv* —3E **5**
Mitylene St. *Liv* —5G **5**
Mobberley Way. *Wir* —6G **27**
Mockbeggar Dri. *Wall* —4C **2**
Mockbeggar Wharf. *Wall* —4C **2**
Modred St. *Liv* —2H **21**
Moira St. *Liv* —3H **13**
Mollington Rd. *Wall* —2G **11**
Mollington St. *Birk* —2A **20**
Molyneux Clo. *Wir* —2F **17**
Molyneux Dri. *Wall* —3F **3**
Mona St. *Birk* —6D **10**
Monk Rd. *Wall* —1F **11**
Monks Ferry. *Birk* —1B **20**
Monks Gro. *Ell P* —1H **47**
Monk St. *Birk* —1B **20**
Monk St. *Liv* —5H **5**
Monks Way. *Beb* —5F **27**
Monks Way. *W Kir* —5E **15**
Monkswell St. *Liv* —4H **21**
Monmouth Rd. *Wall* —1D **10**
Monro Clo. *Liv* —3H **21**
Monro St. *Liv* —3H **21**
Montgomery Hill. *Wir* —1D **22**
Montpellier Cres. *Wall* —3E **3**
Montpellier Ho. *Wall* —3E **3**
Montrose Av. *Wall* —4A **12**
Montrose Ct. *Wir* —1D **14**
Monument Pl. *Liv* —3G **13**
Moorcroft Rd. *Wall* —6B **2**
Moore Av. *Birk* —5A **20**
Moorfield Dri. *Park* —3A **36**
Moorfields. *Liv* —3E **13**
Moorfields Av. *Pren* —3B **18**
Moorings Clo. *Park* —4A **36**
Moorings, The. *Birk* —2H **19**
Moorings, The. *Wir* —3G **29**
Moorland Clo. *Wir* —4C **30**
Moorland Pk. *Wir* —4C **30**
Moorland Rd. *Birk* —4A **20**
Moorland Rd. *Ell P* —5E **41**
Moor La. *Walt* —1H **5**
Moor La. *Wir* —3C **30**
Moor Pl. *Liv* —3G **13**
Moorside. —6A **36**
Moorside Av. *Park* —5A **36**
Moorside La. *Park* —6A **36**
Moor St. *Liv* —4E **13**
Moorway. *Wir* —3D **30**
Morcroft Rd. *Birk* —5C **20**
Morello Dri. *Wir* —1H **33**
Moreton. —4D **8**
Moreton Common. —1D **8**

Moreton Gro. *Wall* —5C **2**
Moreton Rd. *Wir* —6F **9**
Morland Av. *Brom* —5B **34**
Morland Av. *L Nes* —6D **36**
Morley Av. *Birk* —5F **11**
Morley La. *Liv* —4G **5**
Morley Rd. *Wall* —2E **11**
Morley St. *Liv* —4G **5**
Mornington Av. *Ell P* —2A **48**
Mornington Rd. *Wall* —4F **3**
Mornington St. *Liv* —2G **21**
Morpeth Clo. *Wir* —5B **8**
Morpeth Rd. *Wir* —2C **14**
Morpeth St. *Liv* —6H **13**
Morpeth Wharf. *Birk* —5A **12**
Morris Ct. *Pren* —2D **18**
Mortimer St. *Birk* —6B **12**
Morton St. *Liv* —2H **21**
   (in two parts)
Mortuary Rd. *Wall* —5F **3**
Morval Cres. *Liv* —1G **5**
Mosedale Rd. *Croft B* —1C **34**
Moseley Av. *Wall* —1E **11**
Moseley Rd. *Wir* —2G **33**
Moses St. *Liv* —3H **21**
Moss Clo. *Will* —5C **38**
Mossdene Rd. *Wall* —1D **10**
Moss Gro. *Birk* —5F **19**
Mosslands Clo. *Gt Sut* —5E **47**
Mosslands Dri. *Wall* —6C **2**
Moss La. *Birk* —5F **19**
Mossley Av. *Wir* —3B **34**
Mossley Rd. *Birk* —4A **20**
Moss St. *Low H* —3H **13**
Moss Va. *Ell P* —5D **40**
Mossy Bank Rd. *Wall* —1H **11**
Moston Way. *Gt Sut* —4F **47**
Mostyn Av. *Hes* —3H **29**
Mostyn Av. *W Kir* —6D **14**
Mostyn Clo. *Wir* —4G **5**
Mostyn Gdns. *Park* —4A **36**
Mostyn St. *Wall* —2F **11**
Mould St. *Liv* —5F **5**
Mounsey Rd. *Birk* —2H **19**
Mount Av. *Beb* —2D **26**
Mount Av. *Hes* —3B **30**
Mount Ct. *Wall* —3E **3**
Mount Dri. *Wir* —2D **26**
Mt. Farm Way. *Gt Sut* —5C **46**
Mount Gro. *Birk* —2G **19**
Mt. Grove Pl. *Birk* —2G **19**
Mt. Haven Clo. *Wir* —2G **17**
Mt. Olive. *Pren* —4E **19**
Mount Pk. *Wir* —2D **26**
Mt. Pleasant. *Liv* —4G **13**
Mt. Pleasant. *Pren* —4F **19**
Mt. Pleasant Rd. *Wall* —5E **3**
Mount Rd. *Beb & High B* —1E **33**
Mount Rd. *Birk* —6G **19**
Mount Rd. *Upt* —2G **17**
Mount Rd. *Wall* —3E **3**
Mount Rd. *W Kir* —6E **15**
Mount St. *Liv* —5G **13**
Mount, The. *Hes* —3B **30**
Mount, The. *Liv* —1G **11**
Mount, The. *Wir* —4G **27**
Mt. Vernon Rd. *Liv* —3H **13**
Mt. Vernon St. *Liv* —3H **13**
Mt. Vernon Vw. *Liv* —3H **13**
Mountview Clo. *Liv* —2H **21**
Mountway. *Wir* —2D **26**
Mt. Wood Rd. *Birk* —1C **26**
Mourne Clo. *L Sut* —1A **46**
Mowbray Ct. *Liv* —5E **5**
Mudhouse La. *Burt* —5A **44**
Mulberry Gro. *Wall* —2H **11**
Mulberry Pl. *Liv* —5H **13**
Mulberry Rd. *Birk* —5B **20**
Mulberry St. *Liv* —5H **13**
   (in two parts)
Mulgrave St. *Liv* —6H **13**
Mull Clo. *Ell P* —6A **48**
Mulveton Rd. *Wir* —6F **27**
Mumfords Gro. *Wir* —4G **7**
Mumfords La. *Wir* —4F **7**
Muncaster Clo. *Wir* —2B **34**
Muriel St. *Liv* —3H **5**
Murrayfield Dri. *Wir* —1F **9**
Murray Gro. *Wir* —4C **14**
Museum of Liverpool Life. —5D **12**
Mynsule Rd. *Wir* —6F **27**
Myrtle Gro. *Wall* —2H **11**
Myrtle Pde. *Liv* —5H **13**

Myrtle St. *Ell P* —2G **41**
Myrtle St. *Liv* —5H **13**

Nairn Clo. *Wir* —1F **39**
Nansen Gro. *Liv* —2H **5**
Nant Pk. Ct. *Wall* —3G **3**
Nantwich Clo. *Wir* —5G **17**
Nantwich Rd. *Gt Sut* —4F **47**
Napier Dri. *Wir* —5F **9**
Napier Rd. *Wir* —1H **27**
Naples Rd. *Wall* —2H **11**
Napps Way. *Wir* —1C **30**
Naseby Clo. *Pren* —3A **18**
Naseby St. *Liv* —1H **5**
Nash Gro. *Liv* —2F **13**
Navigation Wharf. *Liv* —1F **21**
Naylor Ct. *Ell P* —1E **47**
Naylor Cres. *Ell P* —5F **41**
Naylor Rd. *Pren* —5C **10**
Naylor St. *Liv* —2E **13**
Neale Dri. *Wir* —4E **17**
Needham Cres. *Pren* —3B **18**
Needwood Dri. *Wir* —6F **27**
Nelson Ct. *Birk* —6C **20**
Nelson Dri. *Wir* —5A **24**
Nelson Rd. *Birk* —6C **20**
Nelson Rd. *Ell P* —2G **41**
Nelson's Cft. *Wir* —6G **27**
Nelson St. *Boot* —1D **4**
Nelson St. *Liv* —6F **13**
Nelson St. *Wall* —4G **3**
Neptune St. *Birk* —5H **11**
Neptune Theatre. —4F **13**
Ness. —2E **43**
Ness Acre La. *Will* —5A **38**
Ness Botanical Gardens & Vis. Cen.
                    —3F **43**
Nessholt. —2D **42**
Neston. —5C **36**
Neston Cricket Club Ground.
                    —5A **36**
Neston Grn. *Gt Sut* —3D **46**
  (in two parts)
Neston Recreation Cen. —4D **36**
Neston Rd. *Ness & Burt* —2D **42**
Neston Rd. *Thor H & Nest* —5A **32**
Neston Rd. *Will* —5A **38**
Neston St. *Liv* —2H **5**
Netherby St. *Liv* —4H **21**
Netherfield Clo. *Pren* —3A **18**
Netherfield Rd. N. *Liv* —5G **5**
Netherfield Rd. S. *Liv* —1G **13**
Netherpool Rd. *Ell P* —6F **41**
Netherton Rd. *Wir* —5E **9**
Netley St. *Liv* —3G **5**
Neva Av. *Wir* —5D **8**
Neville Clo. *Pren* —3A **18**
Neville Rd. *Wall* —1E **11**
Neville Rd. *Wir* —4C **34**
Nevin St. *Liv* —2H **13**
New Acres Clo. *Pren* —5A **10**
Newark Clo. *Pren* —3A **18**
Newark St. *Liv* —2G **5**
New Bird St. *Liv* —6F **13**
Newbold Cres. *Wir* —4G **15**
Newbridge Clo. *Wir* —4H **17**
Newbridge Rd. *Ell P* —3D **48**
New Brighton. —2F **3**
New Brighton Cricket &
  Bowling Club Ground. —5F **3**
Newburn. *Pren* —2F **19**
Newburns La. *Pren* —4F **19**
Newburn St. *Liv* —1H **5**
Newbury Way. *Wir* —2F **9**
Newby St. *Liv* —3H **5**
New Chester Rd. *Birk & Wir* —2B **20**
New Chester Rd. *Hoot* —3A **40**
New Chester Rd. *Wir & Hoot* —1H **39**
Newdales Clo. *Pren* —5A **10**
Newell Rd. *Wall* —6F **3**
New Ferry. —1H **27**
New Ferry By-Pass. *Wir* —1H **27**
New Ferry Rd. *Wir* —2H **27**
New Grosvenor Rd. *Ell P* —6H **41**
New Hall La. *Wir* —1D **14**
Newhall St. *Liv* —6F **13**
Newhaven Rd. *Wall* —4G **3**
New Hedley Gro. *Liv* —6E **5**
New Henderson St. *Liv* —1G **21**
New Hey La. *Will* —6B **38**
New Hey Rd. *Wir* —3H **17**
Newhope Rd. *Birk* —6G **11**

New Houses La. *L Nes* —3C **42**
Newington. *Liv* —4F **13**
New Islington. *Liv* —2G **13**
Newland Dri. *Wall* —1E **11**
Newlands Rd. *Wir* —5H **27**
Newling St. *Birk* —6G **11**
Newlyn Clo. *Wir* —3G **7**
Newlyn Rd. *Wir* —4G **7**
Newman St. *Liv* —3F **5**
Newnham Dri. *Ell P* —3A **48**
Newport Av. *Wall* —4B **2**
Newport Clo. *Pren* —3A **18**
Newport Ct. *Liv* —5E **5**
New Quay. *Liv* —3D **12**
Newquay Ter. *Liv* —3D **12**
New Rd. *Chil T* —5A **40**
New School La. *Chil T* —5B **40**
Newsham St. *Liv* —6F **5**
New St. *L Nes* —2C **42**
New St. *Wall* —3A **12**
Newton. —5G **15**
Newton Cross La. *Wir* —5G **15**
Newton Dri. *Wir* —5G **15**
Newton Pk. Rd. *Wir* —5G **15**
Newton Rd. *Ell P* —2A **48**
Newton Rd. *Hoy* —6E **7**
Newton Rd. *Wall* —1E **11**
Newton St. *Birk* —6G **11**
Newton Way. *Liv* —4H **13**
Newton Way. *Wir* —2F **17**
New Tower Ct. *Wall* —3G **3**
Newtown. *L Nes* —1D **42**
New Way Bus. Cen. *Wall* —3H **11**
Nicholas St. *Liv* —2F **13**
Nicholls Dri. *Wir* —6B **24**
Nicholson St. *Liv* —5G **5**
Nickleby Clo. *Liv* —2H **21**
Nickleby St. *Liv* —1H **21**
Nicola Ct. *Wall* —5G **3**
Nigel Rd. *Wir* —3E **31**
Nimrod St. *Liv* —2H **5**
Nixon St. *Liv* —1H **5**
Noctorum. —3B **18**
Noctorum Av. *Pren* —2A **18**
Noctorum Dell. *Pren* —3B **18**
Noctorum La. *Pren* —1B **18**
Noctorum Rd. *Pren* —2B **18**
Noctorum Way. *Pren* —3B **18**
Nook, The. *Pren* —2F **19**
Nook, The. *Wir* —5B **16**
Norbury Av. *Wir* —4E **27**
Norbury Clo. *Wir* —4F **27**
Norbury Gdns. *Birk* —3A **20**
Norfolk Clo. *Pren* —3A **18**
Norfolk Dri. *Wir* —6E **15**
Norfolk Rd. *Ell P* —2A **48**
Norfolk St. *Liv* —6F **13**
Norgate St. *Liv* —4H **5**
Norlands Ct. *Birk* —6A **20**
Norley Av. *East* —2G **39**
Norley Av. *Ell P* —1F **47**
Norman Clo. *Gt Sut* —6A **46**
Norman Rd. *Wall* —3A **12**
Normanston Clo. *Pren* —3F **19**
Normanston Rd. *Pren* —3F **19**
Norman St. *Birk* —5D **10**
Norman St. *Liv* —3H **13**
Norris Clo. *Pren* —3A **18**
Northbrooke Way. *Wir* —4G **17**
Northbrook Rd. *Wall* —2H **11**
Northbrook St. *Liv* —6H **13**
Northbury Rd. *Gt Sut* —6E **47**
N. Cheshire Trad. Est. *Nor C* —1G **25**
North Clo. *Wir* —1A **34**
Northcote Clo. *Liv* —1H **13**
Northcote Rd. *Wall* —5B **2**
N. Dingle. *Liv* —3F **5**
North Dri. *Wall* —3D **2**
North Dri. *Wir* —4C **30**
Northern Ri. *Gt Sut* —3E **47**
N. Hill St. *Liv* —2H **21**
N. John St. *Liv* —3E **13**
Northop Rd. *Wall* —5D **2**
North Pde. *Hoy* —6C **6**
N. Park Ct. *Wall* —2F **3**
Northridge Rd. *Wir* —4C **24**
North Rd. *Birk* —4G **19**
North Rd. *Ell P* —1B **40**
North Rd. *W Kir* —5C **14**
North St. *Liv* —3F **13**
North Ter. *Wir* —4G **7**
Northumberland Gro. *Liv* —2F **21**
Northumberland St. *Liv* —2F **21**

Northumberland Ter. *Liv* —5G **5**
N. Wallasey App. *Wall* —6A **2**
Northway. *Wir* —2F **31**
Northways. *Wir* —6B **28**
N. William St. *Wall* —3A **12**
Northwood Rd. *Pren* —5D **18**
Norton Dri. *Wir* —2G **23**
Norton Rd. *Wir* —4C **14**
Norton St. *Liv* —3G **13**
Norville. *Ell P* —6D **40**
Norwich Dri. *Gt Sut* —6A **46**
Norwich Dri. *Wir* —6G **9**
Norwood Ct. *Wir* —4D **16**
Norwood Rd. *Wall* —3F **11**
Norwood Rd. *Wir* —3E **17**
Nowshera Av. *Wir* —4B **24**
Nuffield Clo. *Wir* —3F **17**
Nun Clo. *Pren* —4F **19**
Nurse Rd. *Wir* —3D **24**
Nursery Clo. *Pren* —4F **19**
Nursery St. *Liv* —5F **5**

Oak Av. *Wir* —1D **16**
Oak Bank. *Birk* —2G **19**
Oak Bank. *Wir* —4G **27**
Oakbank St. *Wall* —2G **11**
Oak Clo. *Wir* —6D **8**
Oak Ct. Liv —3H **21**
  (off Weller Way)
Oakdale Av. *Wall* —3H **11**
Oakdale Dri. *Wir* —5C **16**
Oakdale Rd. *Wall* —3H **11**
Oakdene Av. *Gt Sut* —2C **46**
Oakdene Clo. *Wir* —6B **34**
Oakdene Rd. *Birk* —4G **19**
Oakenholt Rd. *Wir* —4E **8**
Oakes St. *Liv* —3H **13**
Oakfield Rd. *Brom* —3A **34**
Oakfield Rd. *Chil T* —5G **39**
Oakfield Ter. *Chil T* —5G **39**
Oak Gro. *Whitby* —4G **47**
Oakham Dri. *Wir* —4B **8**
Oakham St. *Liv* —1F **21**
Oakland Dri. *Wir* —1G **17**
Oaklands. *Wir* —5B **34**
Oaklands Dri. *Beb* —3F **27**
Oaklands Dri. *Hes* —2C **30**
Oaklands Ter. *Wir* —2C **30**
Oakland Va. *Wall* —3G **3**
Oakleaf M. *Pren* —2B **18**
Oaklea Rd. *Wir* —3B **24**
Oakleigh Gro. *Wir* —3F **27**
Oakmere Clo. *Wir* —2E **9**
Oakmere Dri. *Gt Sut* —6F **47**
Oakmere Dri. *Wir* —3C **16**
Oakridge Clo. *Wir* —1A **34**
Oakridge Rd. *Wir* —1A **34**
Oak Rd. *Beb* —2F **27**
Oak Rd. *Hoot* —4G **39**
Oaks La. *Wir* —5C **24**
Oaks, The. *Wir* —3A **34**
Oak St. *Ell P* —2G **41**
Oaksway. *Hes* —5D **30**
Oaktree Pl. *Birk* —4B **20**
Oakwood Clo. *Gt Sut* —6D **46**
Oakwood Dri. *Pren* —5C **10**
Oakwood Pk. *Wir* —6B **34**
Oakworth Dri. *Wir* —2A **28**
Oarside Dri. *Wall* —5E **3**
Oatlands, The. *Wir* —6E **15**
Oban Dri. *Wir* —3C **30**
Oberon St. *Liv* —2E **5**
Observatory Rd. *Pren* —5C **10**
O'Connell Rd. *Liv* —1F **13**
Odyssey Cen. *Birk* —5G **11**
Oil Sites Rd. *Ell P* —2H **41**
Oil St. *Liv* —1D **12**
Old Barn Rd. *Wall* —2E **11**
Old Bidston Rd. *Birk* —5F **11**
Old Chester Rd. *Birk & Beb* —3A **20**
Old Chester Rd. *Gt Sut* —2D **46**
Old Church Clo. *Ell P* —2G **41**
Old Church Yd. *Liv* —3D **12**
Old Clatterbridge Rd. *Wir* —1E **33**
Old Farm Clo. *Will* —5C **38**
Oldfield Clo. *Wir* —1A **30**
Oldfield Cotts. *Wir* —1H **29**
Oldfield Dri. *Hes* —2H **29**
Oldfield Farm La. *Hes* —1H **29**
Oldfield Gdns. *Wir* —2H **29**
Oldfield La. *Wir* —3A **16**
Oldfield Rd. *Ell P* —2H **47**

Oldfield Rd. *Hes* —1H **29**
Oldfield Rd. *Wall* —5D **2**
Oldfield Way. *Wir* —1H **29**
Old Gorsey La. *Wall* —3F **11**
Old Greasby Rd. *Wir* —2F **17**
Old Hall Dri. *Whitby* —3H **47**
Old Hall Rd. *Brom* —2C **34**
Old Hall St. *Liv* —3D **12**
Oldham Pl. *Liv* —4G **13**
Oldham St. *Liv* —4G **13**
Old Haymarket. *Liv* —3F **13**
Old La. *Hes* —3F **31**
Old Leeds St. *Liv* —3D **12**
Old Marylands La. *Wir* —4E **9**
Old Mdw. Rd. *Wir* —6A **24**
Old Mill Clo. *Wir* —4D **30**
Old Post Office Pl. *Liv* —4F **13**
  (off School La.)
Old Pump La. *Wir* —4C **16**
Old Quay Clo. *Park* —6A **36**
Old Quay La. *Park* —6B **36**
Old Rockerrians R. F.C. Ground.
                    —1H **25**
Old Ropery. *Liv* —4E **13**
Old School Clo. *Nest* —2D **42**
Old School Way. *Birk* —6C **10**
Old Vicarage Rd. *Will* —5C **38**
Old Welsh Rd. *L Sut* —2H **45**
Old Wood Rd. *Wir* —5B **24**
Olinda St. *Wir* —2H **27**
Olive Cres. *Birk* —3A **20**
Olive Dri. *Nest* —5C **36**
Olive Mt. *Birk* —3A **20**
Oliver La. *Gt Sut* —3D **46**
Olive Rd. *Nest* —5C **36**
Oliver St. *Birk* —1H **19**
Oliver St. E. *Birk* —1A **20**
Olivia Clo. *Pren* —3A **18**
Olivia M. *Pren* —3A **18**
Olivia St. *Boot* —2F **5**
Ollerton Clo. *Pren* —3A **18**
Olney St. *Liv* —1H **5**
Onslow Rd. *Wall* —3F **3**
Onslow Rd. *Wir* —6D **20**
Open Eye Gallery. —4F **13**
Orchard Clo. *Gt Sut* —6F **47**
Orchard Ct. *Birk* —4B **20**
Orchard Dri. *L Nes* —2C **42**
Orchard Grange. *Wir* —6C **8**
Orchard Haven. *Gt Sut* —6E **47**
Orchard La. *Chil T* —5A **40**
Orchard Rd. *Whitby* —5G **47**
Orchard Rd. *Wir* —4E **3**
Orchard, The. *Wall* —4E **3**
Orchard Way. *Wir* —3D **26**
Orchid Gro. *Liv* —4H **21**
Orchil Clo. *L Sut* —1A **46**
O'Reilly Ct. *Liv* —1E **13**
Oriel Clo. *Liv* —4D **12**
Oriel Cres. *Liv* —2E **5**
Oriel Lodge. *Boot* —1E **5**
Oriel Rd. *Birk* —4A **20**
Oriel Rd. *Boot* —1D **4**
Oriel Rd. *Liv* —2E **5**
Oriel St. *Liv* —2E **13**
Orkney Clo. *Ell P* —6A **48**
Orlando Clo. *Pren* —3A **18**
Orlando St. *Boot* —2E **5**
Ormesby Gro. *Wir* —5H **33**
Ormiston Rd. *Wall* —4F **3**
Ormond M. *Pren* —3A **18**
Ormond St. *Liv* —3E **13**
Ormond St. *Wall* —6F **3**
Ormond Way. *Pren* —3A **18**
Orphan St. *Liv* —5H **13**
Orrell Rd. *Wall* —4G **3**
Orret's Mdw. Rd. *Wir* —4H **17**
Orrysdale Rd. *Wir* —4C **14**
Orry St. *Liv* —6F **5**
Orston Cres. *Wir* —1G **33**
Ortega Clo. *Pren* —2A **28**
Orthes St. *Liv* —4H **13**
Orwell Rd. *Liv* —2F **5**
Osborne Av. *Wall* —4F **3**
Osborne Gro. *Wall* —5F **3**
Osborne Rd. *Pren* —2F **19**
Osborne Rd. *Wall* —4G **3**
Osborne Va. *Wall* —4F **3**
Osbourne Clo. *Wir* —4C **34**
Osmaston Rd. *Birk* —5E **19**
Ossett Clo. *Pren* —3A **18**
Oteley Av. *Wir* —3B **34**
Othello Clo. *Liv* —2E **5**

Otterburn Clo. *Wir* —5B **8**
Oulton Clo. *Pren* —4C **18**
Oulton Way. *Pren* —5C **18**
Oundle Rd. *Wir* —4E **9**
Oval Sports Cen., The. —2F **27**
Oval, The. *Ell P* —4A **48**
Oval, The. *Wall* —5D **2**
Overchurch Rd. *Wir* —1E **17**
Overdale Av. *Wir* —4F **25**
Overdale Rd. *Will* —4C **38**
Overgreen Gro. *Wir* —4D **8**
Overmarsh. *Ness* —3E **43**
Overpool. —1E 47
Overpool Gdns. *Gt Sut* —4F **47**
Overpool Rd. *Ell P & Gt Sut* —1E **47**
(in six parts)
Overpool Rd. *Whitby* —5G **47**
Overton Clo. *Pren* —4D **18**
Overton Rd. *Wall* —1F **11**
Overton Way. *Pren* —4D **18**
Owen Rd. *Kirk* —3F **5**
Oxford Clo. *Gt Sut* —6A **46**
Oxford Dri. *Wir* —5H **31**
Oxford Ho. *Boot* —1G **5**
(off Fernhill Clo.)
Oxford Rd. *Wall* —1G **11**
Oxford St. *Liv* —4H **13**
(in two parts)
Oxford St. E. *Liv* —4H **13**
Oxley Av. *Wir* —2H **9**
Oxton. —3D 18
Oxton Cricket Club Ground.
—3D **18**
Oxton Grn. *Gt Sut* —3D **46**
Oxton Rd. *Birk* —2G **19**
Oxton Rd. *Wall* —2F **11**
Oxton St. *Liv* —3H **5**

Pacific Rd. *Birk* —6B **12**
Paddington. *Liv* —4H **13**
(in two parts)
Paddock Rd. *Pren* —3B **36**
Paddock, The. *Gt Sut* —4D **46**
Paddock, The. *Hes* —3E **31**
Paddock, The. *More* —6C **8**
Paddock, The. *Upt* —2H **17**
Padstow Rd. *Wir* —4C **16**
Page Wlk. *Liv* —2G **13**
Pagewood Clo. *Pren* —3B **18**
Paignton Rd. *Wall* —5D **2**
Painswick Rd. *Gt Sut* —5E **47**
Paisley Av. *Wir* —1G **39**
Paisley St. *Liv* —2D **12**
Palace Hey. *Ness* —2E **43**
Palatine Rd. *Wall* —3H **11**
Palatine Rd. *Wir* —2A **34**
Palermo Clo. *Wall* —3H **11**
Paley Clo. *Liv* —4H **5**
Pall Mall. *Liv* —2D **12**
Pall Mall Cen. *Liv* —2D **12**
Palm Ct. Liv —3H **21**
(off Weller Way)
Palmerston Rd. *Wall* —1D **10**
Palmerston St. *Birk* —5B **20**
Palm Gro. *Pren* —1E **19**
Palm Gro. *Whitby* —6G **47**
Palm Hill. *Pren* —2D **18**
Palmwood Clo. *Pren* —6C **18**
Paltridge Way. *Wir* —5B **24**
Pansy St. *Liv* —4F **5**
Parade. *Liv* —5D **12**
Parade, The. *Park* —4A **36**
Paradise St. *Liv* —5E **13**
Park Av. *Wall* —2H **11**
Parkbridge Rd. *Birk* —4G **19**
Parkbury Ct. *Pren* —4E **19**
Park Clo. *Birk* —1G **19**
Park Dri. *Pren* —6E **11**
Park Dri. *Whitby* —4H **47**
Parkend Rd. *Birk* —4G **19**
Parker St. *Liv* —4E **13**
Parkfield Av. *Birk* —1H **19**
Parkfield Dri. *Wall* —1H **11**
Parkfield Dri. *Whitby* —5G **47**
Parkfield Pl. *Birk* —1H **19**
Parkfield Rd. *Wir* —6G **27**
Parkgate. —4A 36
Parkgate La. *Nest* —6G **31**
Parkgate Rd. *Led & Wood* —4D **44**
Parkgate Rd. *Nest* —5B **36**
Park Gro. *Birk* —5D **5**
Pk. Hill Ct. *Liv* —3H **21**

Parkhill Rd. *Birk* —4G **19**
Pk. Hill Rd. *Liv* —3H **21**
Parkhurst Rd. *Birk* —5G **19**
Parkland Clo. *Liv* —2H **21**
Parkland Ct. *Pren* —5A **10**
Parklands. *L Sut* —2C **46**
Parklands Ct. Wir —5D **2**
(off Childwall Grn.)
Parklands Dri. *Wir* —5D **30**
Parklands Gdns. *L Sut* —1D **46**
Parklands Vw. *L Sut* —1D **46**
Park La. *Liv* —5E **13**
Park La. *Wir* —4A **8**
Parklea. *L Sut* —1D **46**
Park Pl. *Liv* —1G **21**
Park Rd. *Birk* —4A **20**
Park Rd. *East* —5D **34**
Park Rd. *Ell P* —3A **48**
(in two parts)
Park Rd. *Hes* —2D **30**
Park Rd. *Meol* —4G **7**
Park Rd. *Port S* —4H **27**
Park Rd. *Tox* —2H **21**
Park Rd. *Wall* —2G **11**
Park Rd. *W Kir* —5C **14**
Park Rd. *Will* —5D **38**
Park Rd. E. *Birk* —1G **19**
Park Rd. N. *Birk* —6D **10**
Park Rd. S. *Pren* —1F **19**
Park Rd. Sports Cen. —2H **21**
Park Rd. W. *Pren* —6D **10**
Parkside. *Wall* —2G **11**
Parkside Clo. *Wir* —3G **27**
Parkside Rd. *Birk* —4A **20**
Parkside Rd. *Wir* —3G **27**
Parkside St. *Liv* —2H **13**
Parkstone Rd. *Birk* —4G **19**
Park St. *Birk* —6H **11**
(in two parts)
Park St. *Liv* —2F **21**
Park St. *Nest* —5C **36**
Park St. *Wall* —1G **11**
Park Va. *Nest* —6D **36**
Parkvale Av. *Nor C* —1G **25**
Park Vw. *Wir* —3A **34**
Parkview Clo. *Birk* —6G **11**
Parkview Ct. *Hes* —3B **30**
Parkway. *Pren* —2B **24**
Park Way. *Meol* —5G **7**
Park Way. *Tox* —6H **13**
(in two parts)
Parkway. *Wall* —4C **2**
Parkway Clo. *Wir* —2B **24**
Park W. *Wir* —4H **29**
Parkwood Clo. *Wir* —2B **34**
Parliament Clo. *Liv* —6G **13**
Parliament Pl. *Liv* —6H **13**
Parliament St. *Liv* —6F **13**
Parliament Way. *Gt Sut* —6A **46**
Parnell Rd. *Wir* —6G **27**
Parr Gro. *Wir* —3C **16**
Parr's Rd. *Pren* —4F **19**
Parr St. *Liv* —5F **13**
Parry St. *Wall* —3H **11**
Passport Office. —4E **13**
Pasture Av. *Wir* —3E **9**
Pasture Cres. *Wir* —4E **9**
Pasture Rd. *Wir* —2D **8**
Pastures, The. *Wir* —5H **15**
Paterson St. *Birk* —1G **19**
Patmos Clo. *Liv* —5G **5**
Paton Clo. *Wir* —4F **15**
Patricia Av. *Birk* —4D **10**
Patten St. *Birk* —5E **11**
Patterdale Rd. *Wir* —6F **27**
Paul Orr Ct. *Liv* —1E **13**
Paulsfield Dri. *Wir* —6E **9**
Paul St. *Liv* —2E **13**
Paulton Clo. *Liv* —3H **21**
Peach St. *Liv* —4H **13**
Pearson Rd. *Birk* —3A **20**
Pear Tree Clo. *Wir* —2F **9**
Peartree Way. *Gt Sut* —6E **47**
Peckforton Dri. *Gt Sut* —4E **47**
Pecksniff Clo. *Liv* —2H **21**
Peebles Clo. *L Sut* —1H **45**
Peel Av. *Birk* —4B **20**
Peel Pl. *Liv* —6H **13**
Peel St. *Liv* —3H **21**
Peers Wood Ct. *L Nes* —2C **42**
Pelham Rd. *Wall* —2E **11**
Pemberton Clo. *Will* —5C **38**
Pemberton Rd. *Wir* —4H **17**

Pembridge Ct. *Ell P* —4C **48**
Pembridge Gdns. *Ell P* —4C **48**
Pembroke Av. *Wir* —6E **9**
Pembroke Ct. *Birk* —3A **20**
Pembroke Dri. *Whitby* —4G **47**
Pembroke Gdns. *Liv* —3H **13**
Pembroke Pl. *Liv* —3G **13**
Pembroke Rd. *Boot & Liv* —1E **5**
Pembroke St. *Liv* —3H **13**
Pendennis Rd. *Wall* —2G **11**
Pendle Clo. *L Sut* —1H **45**
Pendle Clo. *Wir* —1E **17**
Pengwern St. *Liv* —2H **21**
Pengwern Ter. *Wall* —4G **3**
Peninsula Clo. *Wall* —3C **2**
Penistone Dri. *L Sut* —2B **46**
Penkett Ct. *Wall* —5G **3**
Penkett Gdns. *Wall* —5G **3**
Penkett Gro. *Wall* —5G **3**
Penkett Rd. *Wall* —5F **3**
Penmon Dri. *Wir* —6B **24**
Penn Gdns. *Ell P* —2H **47**
Pennine Rd. *Birk* —6G **19**
Pennine Rd. *Wall* —1D **10**
Pennine Wlk. *L Sut* —2B **46**
Pennington Grn. *Gt Sut* —4C **46**
Pennington St. *Liv* —1H **5**
Pennystone Clo. *Wir* —1D **16**
Penrhos Rd. *Wir* —1C **14**
Penrhyd Rd. *Wir* —4H **23**
Penrhyn Av. *Wir* —3C **24**
Penrhyn St. *Liv* —6F **5**
Penrith St. *Birk* —2G **19**
Penrose St. *Liv* —6G **5**
Pensall Dri. *Wir* —1B **30**
Pensby. —5C 24
Pensby Clo. *Wir* —4C **24**
Pensby Dri. *Gt Sut* —3D **46**
Pensby Hall La. *Wir* —1B **30**
Pensby Rd. *Hes* —2C **30**
Pensby Rd. *Thing* —4C **24**
Pensby St. *Birk* —5F **11**
Pentland Av. *Liv* —1B **5**
Penuel Rd. *Liv* —1H **5**
Peover St. *Liv* —2F **13**
Perch Rock Fort. —1F **3**
Percival Rd. *Ell P* —1H **47**
Percy Rd. *Wall* —3H **11**
Percy St. *Liv* —6H **13**
Perrin Rd. *Wall* —6C **2**
Perry St. *Liv* —1F **21**
Peterborough Clo. *Gt Sut*
—6A **46**
Peter Price's La. *Wir* —5E **27**
Peter Rd. *Liv* —1G **5**
(in two parts)
Peter's La. *Liv* —4F **13**
Peter St. *Liv* —3F **13**
Peter St. *Wall* —3A **12**
Peterswood Ct. *L Nes* —2C **42**
Peterwood. *Birk* —6C **20**
Petton St. *Liv* —5H **5**
Peveril St. *Liv* —1H **5**
Philharmonic Hall. —5H **13**
Philips La. *Gt Sut* —3C **46**
Phillips St. *Liv* —2F **13**
Phillips Way. *Wir* —3A **30**
Phythian St. *Liv* —2H **13**
Pickerill Rd. *Wir* —4D **16**
Pickering Rd. *Wall* —3F **3**
Pickmere Dri. *Wir* —2H **39**
(in two parts)
Pickop St. *Liv* —2E **13**
Pickwick St. *Liv* —1H **21**
Picton Clo. *Pren* —3B **18**
Picton Clo. *Wir* —2F **39**
Pikes Hey Rd. *Wir* —2D **22**
Pilgrim St. *Birk* —1B **20**
Pilgrim St. *Liv* —5G **13**
Pimhill Clo. *Liv* —1H **21**
Pincroft Way. *Liv* —4F **5**
Pine Av. *Wir* —1F **9**
Pine Ct. Birk —1H **19**
(off Byles St.)
Pine Ct. Liv —3H **21**
(off Byles St.)
Pinedale Clo. *Pren* —3B **18**
Pinedale Clo. *Whitby* —6A **46**
Pine Gro. *Whitby* —6G **47**
Pinehey. *Nest* —4B **36**
Pineridge Clo. *Wir* —1A **34**
Pine Rd. *Wir* —2E **31**
Pines, The. *Wir* —6H **27**

Pinetree Av. *Pren* —3A **18**
Pine Tree Clo. *Wir* —5F **9**
Pinetree Ct. *Wall* —6D **2**
Pinetree Dri. *Wir* —6F **15**
Pine Tree Gro. *Wir* —5F **9**
Pine Vw. Dri. *Wir* —1C **30**
Pine Views. *Liv* —6G **13**
Pine Walks. *Birk* —6F **19**
Pine Way. *Wir* —1A **30**
Pinewood Dri. *Wir* —3D **30**
Pinfold Ct. *Wir* —3C **14**
Pinfold Clo. *Wir* —3C **14**
Piper's Clo. *Wir* —3H **29**
Piper's End. *Wir* —3H **29**
Pipers La. *Hes* —1G **29**
(in two parts)
Pipers La. *Pudd* —6C **44**
Pitch Clo. *Wir* —3D **16**
Pitt St. *Liv* —5F **13**
Plane Tree Rd. *Wir* —5E **27**
Plantation Dri. *Ell P* —6E **41**
Plantation Rd. *Brom* —2D **34**
Planters, The. *Wir* —3C **16**
Platt Gro. *Birk* —1G **27**
Playhouse Theatre. —4F **13**
Pleasant Hill St. *Liv* —1F **21**
Pleasant St. *Boot* —1D **4**
Pleasant St. *Liv* —4G **13**
Pleasant St. *Wall* —4F **3**
Pleasant Vw. *Boot* —1D **4**
Pleasington Clo. *Pren* —3C **18**
Pleasington Dri. *Pren* —3C **18**
Pleck Rd. *Whitby* —5G **47**
Plemston Ct. *Ell P* —5F **41**
Ploughmans Clo. *Gt Sut* —6A **46**
Ploughmans Way. *Gt Sut* —6A **46**
Plumer St. *Birk* —5E **11**
Plumpton St. *Liv* —1H **13**
Plymyard Av. *Brom & East* —5A **34**
Plymyard Clo. *Wir* —6B **34**
Plymyard Copse. *Wir* —6B **34**
Poets Corner. *Wir* —4H **27**
Polden Clo. *L Sut* —1A **46**
Poll Hill. —2B **30**
Poll Hill Rd. *Wir* —2B **30**
Pollitt Sq. *Wir* —1A **28**
Pomfret St. *Liv* —1H **21**
Pomona St. *Liv* —4G **13**
Pond Vw. Clo. *Wir* —3E **31**
Ponsonby Rd. *Wall* —6C **2**
Pool Bank. *Wir* —2H **27**
Poolbank Rd. *Wir* —2H **27**
Poole Hall Ind. Est. *Ell P* —5F **41**
(in two parts)
Poole Hall La. *Ell P* —5E **41**
Poole Hall Rd. *Ell P* —5F **41**
Poole Rd. *Wall* —6H **3**
Poole Wlk. *Liv* —3H **21**
Pool La. *Brom P* —4A **28**
Pool La. *Upt* —5G **17**
Pool St. *Birk* —6H **11**
Pooltown Rd. *Ell P & Whitby* —1F **47**
Poolwood Rd. *Wir* —3H **17**
Poplar Av. *Wir* —2F **17**
Poplar Clo. *Whitby* —3H **47**
Poplar Ct. Liv —3H **21**
(off Weller Way)
Poplar Dri. *Eve* —6H **5**
Poplar Dri. *Wir* —5G **27**
Poplar Farm Clo. *Wir* —1C **16**
Poplar Gro. *Birk* —3H **19**
Poplar Rd. *Pren* —3F **19**
Poplar Ter. *Wall* —4F **3**
Poplar Way. *Liv* —3F **5**
Poplar Weint. *Nest* —5C **36**
Poppy Clo. *Wir* —3G **9**
Porlock Clo. *Wir* —5D **30**
Portal M. *Wir* —6B **24**
Portal Rd. *Wir* —6B **24**
Port Arcades, The. *Ell P* —2A **48**
Portbury Clo. *Wir* —3H **27**
Portbury Wlk. *Wir* —3H **27**
Portbury Way. *Wir* —3A **28**
Port Causeway. *Wir* —5A **28**
Porter St. *Liv* —1D **12**
Portia Av. *Wir* —2E **27**
Portia Gdns. *Wir* —2E **27**
Portia St. *Boot* —2E **5**
Portland Clo. *Wall* —2E **3**
Portland Ct. *Wall* —2E **3**
Portland Gdns. *Liv* —1E **13**
Portland Pl. *Liv* —1G **13**
Portland St. *Birk* —5E **11**
Portland St. *Liv* —1E **13**

Portland St. *Wall* —2E **3**
Port of Liverpool Building.
—4D **12**
Porto Hey Rd. *Wir* —4H **23**
Portree Av. *Wir* —6B **34**
Portside Ind. Est. *Ell P* —1G **41**
Portside N. *Ell P* —5H **41**
Portside S. *Ell P* —1G **41**
Port Sunlight. —4H 27
Port Sunlight Heritage Cen.
—4H **27**
Poulton. —2H 33
(Bebington)
Poulton. —2E 11
(Wallasey)
Poulton Bri. Rd. *Birk* —3E **11**
Poulton Grn. Clo. *Wir* —1F **33**
Poulton Hall Rd. *Raby M* —4G **33**
Poulton Hall Rd. *Wall* —2E **11**
Poulton Rd. *Wall* —2E **11**
Poulton Rd. *Wir* —6G **27**
Poulton Royd Dri. *Wir* —1F **33**
Poulton Va. *Wall* —3E **11**
Pound Rd. *L Sut* —6C **40**
Powell St. *Pren* —5D **10**
Power Rd. *Birk* —1G **27**
Power Rd. *Brom* —2D **34**
Powis St. *Liv* —2H **21**
Pownall Sq. *Liv* —3E **13**
Pownall St. *Liv* —5E **13**
Precinct, The. *Wir* —2B **34**
Premier St. *Liv* —6H **5**
Prentice Rd. *Birk* —6A **20**
Prenton. —1H 25
Prenton Dell Av. *Pren* —1A **26**
Prenton Dell Rd. *Pren* —6C **18**
Prenton Farm Rd. *Pren* —1A **26**
Prenton Golf Course. —1B **26**
Prenton Hall Rd. *Pren* —6D **18**
Prenton La. *Birk* —6F **19**
Prenton Pk. —5G **19**
Prenton Pk. Rd. *Birk* —4G **19**
Prenton Rd. E. *Birk* —5G **19**
Prenton Rd. W. *Birk* —5F **19**
Prenton Village Rd. *Pren* —6D **18**
Prenton Way. *Nor C* —6B **18**
Prentonwood Ct. *Birk* —6G **19**
Prescot St. *Liv* —3H **13**
Prescot St. *Wall* —3E **3**
Prestbury Av. *Pren* —5C **18**
Prestbury Clo. *Pren* —5C **18**
Preston St. *Liv* —3F **13**
Price's La. *Pren* —3F **19**
Price St. *Birk* —5F **11**
Price St. *Liv* —5E **13**
Priestfield Rd. *Ell P* —2H **47**
Priestway La. *Burt* —6A **44**
Primrose Ct. *Wall* —3F **3**
Primrose Gro. *Wall* —3A **12**
Primrose Hill. *Liv* —3F **13**
Primrose Hill. *Wir* —3G **27**
Primrose Rd. *Birk* —6D **10**
Primrose St. *Liv* —3F **5**
Prince Albert M. *Liv* —6F **13**
Prince Edward St. *Birk* —6G **11**
Prince Edwin St. *Liv* —1G **13**
Princes Av. *East* —5C **34**
Princes Av. *Prin P* —6H **13**
Princes Av. *W Kir* —5D **14**
Princes Boulevd. *Wir* —1D **26**
Princes Gdns. *Liv* —2E **13**
(in two parts)
Princes Pde. *Liv* —3C **12**
Princes Pavement. *Birk* —1A **20**
Princes Pl. *Birk* —3A **20**
Princes Rd. *Ell P* —1F **47**
Princes Rd. *Liv* —6H **13**
Princess Rd. *Wall* —4F **3**
Princess Ter. *Pren* —2G **19**
Princes St. *Boot* —2D **4**
Princes St. *Liv* —3E **13**
Princesway. *Wall* —5E **3**
Prince William St. *Liv* —1G **21**
Priorsfield. *Wir* —5E **9**
Priory Clo. *Wir* —6G **27**
Priory Rd. *Liv* —3H **5**
Priory Rd. *Wall* —2A **12**
Priory Rd. *Wir* —5E **15**
Priory St. *Birk* —1B **20**
Priory, The. *Nest* —4B **36**
Priory Wharf. *Birk* —1B **20**
Pritt St. *Liv* —2G **13**
Private Dri. *Wir* —4F **25**

Probyn Rd. *Wall* —6C **2**
Procter Rd. *Birk* —6C **20**
Proctor Rd. *Wir* —1E **15**
Progress Pl. *Liv* —3E **13**
(off Stanley St.)
Promenade. *Wir* —5D **6**
Promenade Gdns. *Liv* —4H **21**
Prophet Wlk. *Liv* —2G **21**
Prospect Rd. *Birk* —6F **19**
Prospect St. *Ersk* —3H **13**
Prospect Va. *Wall* —6D **2**
Providence Cres. *Liv* —1G **21**
Prussia St. *Liv* —3D **12**
(Old Hall St.)
Prussia St. *Liv* —3E **13**
(Pall Mall)
Puddington La. *Burt* —6H **43**
Puddington La. *Pudd* —6D **44**
Pudsey St. *Liv* —3G **13**
Pugin St. *Liv* —4G **5**
Pulford Av. *Pren* —5E **19**
Pulford Rd. *Beb* —4F **27**
Pulford Rd. *Gt Sut* —3F **47**
Pulford St. *Liv* —4H **5**
Pullman Clo. *Wir* —3F **31**
Pumpfields Rd. *Liv* —2E **13**
Pump House Mus. —6B **12**
Pump La. *Wir* —2B **16**
Pump Rd. *Birk* —5A **12**
Purbeck Dri. *Wir* —2H **23**
Pye Rd. *Wir* —3C **30**
Pym St. *Liv* —1H **5**
Pyramids Shop. Cen., The. *Birk*
—1H **19**

Quadrant, The. *Wir* —1D **14**
(off Station Rd.)
Quaker La. *Wir* —2B **30**
Quakers All. *Liv* —3E **13**
Quantock Clo. *L Sut* —1A **46**
Quarry Av. *Wir* —5F **27**
Quarry Bank. *Birk* —2H **19**
Quarrybank Pl. *Birk* —2G **19**
Quarrybank St. *Birk* —2G **19**
Quarry Clo. *Wir* —1B **30**
Quarry La. *Wir* —3D **24**
Quarry Rd. *Boot* —1F **5**
Quarry Rd. *Nest* —4F **37**
Quarry Rd. E. *Beb* —5G **27**
Quarry Rd. E. *Hes* —2A **30**
Quarry Rd. W. *Wir* —2A **30**
Quayside. *L Nes* —2B **42**
Queen Anne St. *Liv* —2G **13**
Queen Av. *Liv* —3E **13**
Queen Av. Shop. Arc. *Liv* —3E **13**
(off Queen Av.)
Queen Mary's Dri. *Wir* —3H **27**
Queen's Av. *Meol* —5F **7**
Queens Av. *Whitby* —4G **47**
Queensbury. *Wir* —4F **15**
Queensbury Av. *Wir* —2C **34**
Queensbury St. *Liv* —2H **21**
Queens Ct. *Eve* —6H **5**
Queens Dock Commercial Cen. *Liv*
—6F **13**
Queen's Dri. *Pren* —6E **19**
Queens Dri. *Wir* —3A **30**
Queens Drive Public Baths &
Recreation Cen. —1H **5**
Queens Dri. Walton. *Wall* —1H **5**
Queens Gdns. *Ell P* —2H **47**
Queens M. *Liv* —6H **5**
Queens Pk. —2F **11**
Queens Pl. *Birk* —3A **20**
Queen Sq. *Liv* —3F **13**
(in two parts)
Queens Rd. *Birk* —6B **20**
Queen's Rd. *Boot* —1E **5**
Queens Rd. *Eve* —6H **5**
Queen's Rd. *Hoy* —6C **6**
Queens Rd. *L Sut* —6C **40**
Queens Rd. *Wall* —1A **12**
Queen St. *Birk* —3A **20**
Queen St. *Ell P* —2G **41**
Queen St. *Wall* —6F **3**
Queens Wlk. *Liv* —6G **13**
Queensway. *Birk* —5C **12**
Queensway. *Wall* —5B **3**
Queensway. *Wir* —5E **31**
Queens Wharf. *Liv* —6E **13**
Queenswood Av. *Wir* —1E **27**
Quigley St. *Birk* —3A **20**

Quillet, The. *Nest* —6D **36**
Quinesway. *Wir* —2G **17**

Raby. —1G **37**
Raby Av. *Wir* —5H **33**
Raby Clo. *Brom* —6A **33**
Raby Clo. *Hes* —4B **30**
Raby Ct. *Ell P* —4B **48**
Raby Dell. *Raby M* —5H **33**
Raby Dri. *More* —6D **8**
Raby Dri. *Raby M* —4G **33**
Raby Gdns. *Nest* —5C **36**
Raby Gro. *Wir* —1D **26**
Raby Hall Rd. *Wir* —6E **33**
Raby Mere. —4G 33
Raby Mere Rd. *Wir* —1G **37**
(in two parts)
Raby Pk. Clo. *Nest* —5C **36**
Raby Pk. Rd. *Nest* —5C **36**
Raby Rd. *Nest* —5C **36**
Raby Rd. *Thor H* —5B **32**
Raby Rd. *Wir* —2F **37**
Rachel St. *Liv* —1F **13**
Raddle Wharf. *Ell P* —2G **41**
Radford Av. *Wir* —1H **33**
Radley Dri. *Wir* —5H **31**
Radley Rd. *Wall* —6D **2**
Radleys Ct. *Liv* —1H **21**
Radnor Av. *Wir* —2B **30**
Radnor Dri. *Wall* —5G **3**
Radnor Pl. *Pren* —1G **19**
Radstock Rd. *Wall* —6C **2**
Radway Grn. *Gt Sut* —2E **47**
Raeburn Av. *East* —5B **34**
Raeburn Av. *L Nes* —6D **36**
Raeburn Av. *W Kir* —4E **15**
Raffles Rd. *Birk* —2G **19**
Raffles St. *Liv* —6G **13**
Railside Ct. *Liv* —6E **5**
Railway Cotts. *Hoot* —4F **39**
Railway Rd. *Birk* —5B **20**
(in two parts)
Raines Clo. *Wir* —3E **17**
Rainford Gdns. *Liv* —4E **13**
Rainford Sq. *Liv* —4E **13**
Rake Clo. *Wir* —3G **17**
Rake Hey. *Wir* —5B **8**
Rake Hey Clo. *Wir* —5C **8**
Rake La. *Chor B & L Stan* —6C **48**
Rake La. *Wall* —6F **3**
Rake La. *Wir* —3G **17**
Rake M. *Wir* —3G **17**
Rakersfield Ct. *Wall* —3G **3**
Rakersfield Rd. *Wall* —3G **3**
Rake, The. *Brom* —3A **34**
Rake, The. *Burt* —6H **43**
Raleigh Rd. *Nest* —4D **36**
Raleigh Rd. *Wir* —1G **9**
Raleigh St. *Boot* —2D **4**
Ramsey Ct. *Wir* —6D **14**
Ramsey Rd. *Ell P* —6A **48**
Randle Clo. *Wir* —1F **33**
Randle Mdw. *Gt Sut* —5F **47**
Randolph St. *Liv* —4H **5**
Ranelagh Pl. *Liv* —4G **13**
Ranelagh St. *Liv* —4F **13**
Rankin St. *Wall* —3E **11**
Rannoch Clo. *Gt Sut* —4F **47**
Rappart Rd. *Wall* —2H **11**
Rashid Mufti Ct. *Liv* —1H **21**
Rathmore Clo. *Pren* —4E **19**
Rathmore Dri. *Pren* —3E **19**
Rathmore Rd. *Pren* —3E **19**
Raven Clo. *Liv* —2H **13**
Ravendale Clo. *Pren* —3B **18**
Ravenhill Cres. *Wir* —1F **9**
Ravenscroft Rd. *Pren* —2G **19**
Ravenstone Clo. *Wir* —6E **9**
Ravenswood Av. *Birk* —1F **27**
Ravenswood Rd. *Wir* —1C **30**
Rawcliffe Rd. *Birk* —2H **19**
Raymond Pl. *Liv* —1F **13**
Raymond Rd. *Wall* —2G **11**
Raymond Way. *L Nes* —6E **37**
Reade Clo. *Wir* —2G **33**
Reading Clo. *Liv* —4F **5**
Reading St. *Liv* —4F **5**
Reay St. *Wall* —2A **12**
Rectory Clo. *Birk* —3H **19**
Rectory Clo. *Wir* —4B **30**
Rectory La. *Cap* —6H **45**
Rectory La. *Hes* —4A **30**

Rectory Rd. *Wir* —6D **14**
Red Banks. *Wir* —3B **22**
Redbrook Clo. *Wir* —5B **34**
Redburn Clo. *Liv* —3H **21**
Redcap Clo. *Wall* —3C **2**
Redcar Dri. *Wir* —6B **34**
Redcar Rd. *Wall* —5B **2**
Redcote Ct. *W Kir* —6C **14**
Redcroft. *Wir* —4C **16**
Red Cross St. *Liv* —4E **13**
Redditch Clo. *Wir* —3C **16**
Redfern St. *Liv* —3E **5**
Redfield Clo. *Wall* —1H **11**
Redford Clo. *Wir* —3C **16**
Red Hill Rd. *Wir* —4B **26**
Redhills M. *Ell P* —1H **47**
Redhouse Bank. *Wir* —4C **14**
Redhouse La. *Wir* —4C **14**
Red Lion La. *L Sut* —6C **40**
Redmere Dri. *Wir* —3F **31**
Redmont St. *Birk* —3A **20**
Red Pike. *Ell P* —6D **40**
Redstone Clo. *Wir* —5F **7**
Redstone Dri. *Wir* —2G **29**
Redstone Pk. *Wall* —3C **2**
Redstone Ri. *Pren* —1B **18**
Redvers Av. *Hoot* —3A **40**
Redwood Clo. *Pren* —5D **18**
Redwood Ct. *Liv* —3H **21**
(off Byles St.)
Redwood Dri. *Gt Sut* —6F **47**
Reeds Av. E. *Wir* —2F **9**
Reeds Av. W. *Wir* —2F **9**
Reeds La. *Wir* —1F **9**
Reedville. *Pren* —2F **19**
Reedville Gro. *Wir* —3F **9**
Reedville Rd. *Wir* —2F **19**
Regal Clo. *Gt Sut* —4E **47**
Regal Wlk. *Liv* —4G **5**
Regent Rd. *Boot & Kirk* —1C **4**
Regent Rd. *Liv* —2D **4**
Regent Rd. *Wall* —5B **2**
Regents Clo. *Wir* —4D **24**
Regent St. *Ell P* —2F **47**
Regent St. *Liv* —1D **12**
Regents Way. *Wir* —1D **26**
Reid Ct. *L Sut* —6C **40**
Rendal Clo. *Liv* —6H **5**
Rendelsham Clo. *Wir* —2E **17**
Rendel St. *Birk* —6H **11**
Renfrew Av. *Wir* —6C **34**
Renfrew St. *Liv* —3H **13**
Renshaw St. *Liv* —4F **13**
Repton Rd. *Ell P* —3B **48**
Reservoir Rd. *Birk* —6F **19**
Reservoir Rd. N. *Birk* —6F **19**
Reservoir St. *Liv* —1H **13**
Rest Hill Rd. *Wir* —4B **26**
Rhodesway. *Wir* —4D **30**
Rhona Clo. *Wir* —1E **39**
Rhuddlan Ct. *Ell P* —5B **48**
Rhum Clo. *Ell P* —6A **48**
Rhyl St. *Liv* —2G **21**
Rialto Clo. *Liv* —6H **13**
Ribblesdale. *Whitby* —4H **47**
Ribblesdale Clo. *Wir* —6D **34**
Ribble St. *Birk* —4D **10**
Rice Hey Rd. *Wall* —6G **3**
Rice La. *Liv* —1H **5**
Rice La. *Wall* —6G **3**
Rice St. *Liv* —5G **13**
Richard Allen Way. *Liv* —1G **13**
Richard Chubb Dri. *Wall* —5H **3**
Richardson Rd. *Birk* —6A **20**
Richmond Clo. *Wir* —3F **27**
Richmond Ct. *Ell P* —4B **48**
Richmond Ho. *Liv* —3D **12**
Richmond Pde. *Liv* —3D **12**
(off Rumford Pl.)
Richmond Rd. *Wir* —3F **27**
Richmond Row. *Liv* —2G **13**
Richmond St. *Liv* —4F **13**
Richmond St. *Wall* —2F **3**
Richmond Way. *Hes* —1B **30**
Richmond Way. *Thing* —3C **24**
Rich Vw. *Pren* —4F **19**
Rickaby Clo. *Wir* —3A **34**
Rickman St. *Liv* —3F **5**
Riddings, The. *Ell P* —3H **47**
Ridgefield Rd. *Wir* —4B **24**
Ridgemere Rd. *Wir* —4B **24**
Ridge, The. *Wir* —1H **29**
Ridgeview Rd. *Pren* —2B **18**

St Kilda's Rd.—Skirving St.

St Kilda's Rd. *Wir* —6E **9**
St Laurence Clo. *Birk* —6H **11**
St Laurence Dri. *Birk* —6H **11**
St Lawrence Clo. *Liv* —3H **21**
St Lucia Rd. *Wall* —6H **3**
St Luke's Ct. *Liv* —1H **5**
St Lukes Pl. *Liv* —5G **13**
St Margaret's Rd. *Wir* —1C **14**
St Marks Cres. *Gt Sut* —6A **46**
St Martins Dri. *Gt Sut* —5D **46**
St Martin's Ho. *Boot* —1E **5**
St Martin's Mkt. *Liv* —6G **5**
St Martins M. *Liv* —1G **13**
St Mary's Av. *Liv* —1H **5**
St Mary's Av. *Wall* —1F **11**
St. Mary's Church Tower. —1B **20**
(off Priory St.)
St Mary's Ct. *Wir* —3G **17**
St Mary's Ga. *Birk* —1B **20**
St Mary's Gro. *Liv* —1H **5**
St Mary's La. *Liv* —1H **5**
St Mary's Pl. *Liv* —1H **5**
St Mary's St. *Wall* —1F **11**
St Michael's Gro. *Wir* —5D **8**
St Nicholas Pl. *Liv* —4D **12**
(in two parts)
St Nicholas' Rd. *Wall* —6B **2**
St Oswald's Av. *Pren* —5A **10**
St Oswald's M. *Pren* —4A **10**
St Paul's Av. *Wall* —3A **12**
St Paul's Clo. *Birk* —5A **20**
St Pauls Gdns. *L Sut* —6B **40**
St Pauls Pl. *Boot* —1F **5**
St Paul's Rd. *Birk* —5B **20**
(in two parts)
St Paul's Rd. *Wall* —3H **11**
St Paul's Sq. *Liv* —3D **12**
St Paul's Vs. *Birk* —5A **20**
St Peters Clo. *Wir* —4B **30**
St Peter's Ct. *Birk* —6C **20**
St Peter's Ho. *Boot* —1F **5**
St Peter's M. *Birk* —6C **20**
St Peter's Way. *Pren* —3A **18**
St Richards Clo. *Liv* —2F **5**
St Seiriol Gro. *Pren* —1E **19**
St Stephens Clo. *Wir* —5E **31**
St Stephen's Ct. *Birk* —6F **19**
St Stephen's Pl. *Liv* —2F **13**
St Stephen's Rd. *Birk* —5F **19**
St Thomas Vw. *Whitby* —3H **47**
St Vincent Rd. *Pren* —1E **19**
St Vincent Rd. *Wall* —6H **3**
St Vincent St. *Liv* —3G **13**
St Vincent Way. *Liv* —3G **13**
St Werburghs Sq. *Birk* —1H **19**
St Winifred Rd. *Wall* —4F **3**
Saker St. *Liv* —4H **5**
Salacre Clo. *Wir* —3H **17**
Salacre Cres. *Wir* —3G **17**
Salacre La. *Wir* —2G **17**
Salacre Ter. *Wir* —2G **17**
Salem Vw. *Pren* —4F **19**
Salisbury Av. *Wir* —5C **14**
Salisbury Clo. *Gt Sut* —6A **46**
Salisbury Dri. *Wir* —2H **27**
Salisbury Rd. *Anf* —5H **5**
Salisbury Rd. *Wir* —3E **3**
Salisbury St. *Birk* —2H **19**
Salisbury St. *Liv* —1G **13**
(in two parts)
Salop St. *Liv* —3H **5**
Saltburn Rd. *Wall* —6B **2**
(in two parts)
Saltergate Rd. *Liv* —3H **21**
Saltersgate. *Gt Sut* —5F **47**
Salthouse Quay. *Liv* —5E **13**
Saltney St. *Liv* —4H **5**
Samaria Av. *Wir* —2A **28**
Sandalwood Dri. *Pren* —3B **18**
Sandbeck St. *Liv* —4H **21**
Sandbourne. *Wir* —5G **9**
Sandbrook Ct. *Wir* —5E **9**
Sandbrook La. *Wir* —5E **9**
Sandcliffe Rd. *Wall* —3C **2**
Sandfield Av. *Wall* —4F **7**
Sandfield Clo. *Wir* —3D **26**
Sandfield Pk. *Wir* —3H **29**
Sandfield Rd. *Beb* —3D **26**
Sandfield Rd. *Boot* —1F **5**
Sandfield Rd. *Upt* —6H **17**
Sandfield Rd. *Wall* —4F **3**
Sandfield Ter. *Wall* —4F **3**

Sandford St. *Birk* —6A **12**
Sandham Gro. *Wir* —3E **31**
Sandhey Rd. *Wir* —5E **7**
Sandheys. *Park* —4A **36**
Sandheys Clo. *Liv* —4G **5**
Sandheys Rd. *Wall* —4F **3**
Sandhills Bus. Pk. *Liv* —4E **5**
Sandhills La. *Liv* —4D **4**
Sandhills, The. *Wir* —2E **9**
Sandhills Vw. *Wall* —6B **2**
Sandino St. *Liv* —1G **21**
Sandiway. *Brom* —5A **34**
Sandiway. *Meol* —4F **7**
Sandiways Rd. *Wall* —5C **2**
Sandlea Pk. *Wir* —5C **14**
Sandon Cres. *Nest* —2C **42**
Sandon Ind. Est. *Liv* —5D **4**
Sandon Promenade. *Wall* —1H **11**
(in two parts)
Sandon Rd. *Wall* —1H **11**
Sandon St. *Tox* —5H **13**
Sandon Way. *Liv* —5D **4**
Sandpiper Clo. *Wir* —1D **16**
Sandpipers Ct. *Wir* —6C **6**
Sandridge Rd. *Wall* —4F **3**
Sandridge Rd. *Wir* —4B **24**
Sandringham Av. *Wir* —5E **7**
Sandringham Clo. *Hoy* —5E **7**
Sandringham Clo. *New F* —2G **27**
Sandringham Dri. *Wall* —3E **3**
Sandringham Gdns. *Ell P* —5B **48**
Sandrock Rd. *Wall* —4F **3**
Sandstone. *Wall* —6G **3**
Sandstone Dri. *Wir* —5G **15**
Sandstone Wlk. *Wir* —4C **30**
Sandy La. *Hes* —2C **30**
Sandy La. *Irby* —2G **23**
Sandy La. *L Nes* —6E **37**
Sandy La. *Wall* —5C **2**
Sandy La. *W Kir* —6D **14**
Sandy La. N. *Wir* —2G **23**
Sandymount Dri. *Wall* —4E **3**
Sandymount Dri. *Wir* —5F **27**
Sandy Way. *Pren* —2E **19**
Sankey St. *Liv* —5G **13**
Saughall Massie. —1C **16**
Saughall Massie La. *Wir* —2E **17**
Saughall Massie Rd. *Upt* —1C **16**
Saughall Massie Rd. *W Kir* —4F **15**
Saughall Rd. *Wir* —6C **8**
Saunders Vw. *Ell P* —6D **40**
Saxon Rd. *Hoy* —5E **7**
Saxon Rd. *More* —4F **9**
Saxon Way. *Gt Sut* —6A **46**
Scafell Clo. *Wir* —2F **39**
Scholars Ct. Nest —5C **36**
(off Liverpool Rd.)
School Av. *L Nes* —1D **42**
School Clo. *Wir* —3F **9**
Schoolfield Clo. *Wir* —5H **17**
Schoolfield Rd. *Wir* —5H **17**
School Hill. *Wir* —4B **30**
School La. *Chil T* —4H **39**
School La. *High B* —3D **26**
School La. *Hoy* —6D **6**
(in two parts)
School La. *L Nes* —1D **42**
School La. *Liv* —4F **13**
School La. *Meol* —4F **7**
School La. *Nest* —3F **37**
School La. *New F* —2H **27**
School La. *Park* —4A **36**
School La. *Pren* —4A **10**
School La. *Thur* —3F **23**
School La. *Wall* —1C **10**
(in two parts)
School Pl. *Birk* —6H **11**
School Rd. *Ell P* —2H **47**
Schubert Clo. *Gt Sut* —3F **47**
Scilly Clo. *Ell P* —6A **48**
Scoresby Rd. *Wir* —2A **10**
Scotia Av. *Wir* —2A **28**
Scotland Rd. *Liv* —2F **13**
Scots Pl. *Birk* —6D **10**
Scott Clo. *Birk* —4H **5**
Scotton Av. *L Sut* —2B **46**
Scotts Quays. *Birk* —4A **12**
Scott St. *Wall* —6F **3**
Scythes, The. *Wir* —3C **16**
Scythia Clo. *Wir* —1A **28**
Seabank Av. *Wall* —6G **3**
Seabank Cotts. *Wir* —3H **7**
Seabank Rd. *Wall* —3F **3**

Seabank Rd. *Wir* —5A **30**
Sea Brow. *Liv* —4E **13**
Seacombe Dri. *Gt Sut* —4E **47**
Seacombe Promenade. *Wall*
—1A **12**
Seacombe Tower. *Liv* —5G **5**
Seacombe Vw. *Wall* —3A **12**
Sea Ct. Flats. *Wall* —4D **2**
Seafield Av. *Wall* —5A **30**
Seafield Dri. *Wall* —4D **2**
Seafield Rd. *Wir* —1H **27**
Seaforth Dri. *Wir* —6E **9**
Sealy Clo. *Wir* —2G **33**
Sea Rd. *Wall* —3D **2**
Seaton Rd. *Birk* —3G **19**
Seaton Rd. *Wall* —5E **3**
Sea Vw. *L Nes* —3C **42**
Sea Vw. *Wir* —6D **8**
Seaview Av. *East* —5F **35**
Seaview Av. *Irby* —3H **23**
Seaview Av. *Wall* —6E **3**
Seaview La. *Wir* —3H **23**
Seaview Rd. *Wall* —5E **3**
Seawood Gro. *Wir* —6D **8**
Second Av. *Pren* —1H **17**
Sedbergh Rd. *Wall* —6D **2**
Seddon St. *Liv* —5F **13**
Sedgefield Clo. *Wir* —5G **9**
Sedgefield Rd. *Wir* —5G **9**
Seeley Av. *Birk* —6E **11**
Seel St. *Liv* —4F **13**
Sefton Rd. *Birk* —6C **20**
Sefton Rd. *Wall* —4F **3**
Sefton Rd. *Wir* —1G **27**
Sefton St. *Brun B* —3G **21**
Sefton St. *Liv & Tox* —1F **21**
Selborne Clo. *Liv* —6H **13**
Selborne St. *Liv* —6H **13**
Selbourne Clo. *Wir* —4A **18**
Selby Grn. *L Sut* —2B **46**
Selby St. *Wall* —6F **3**
Selina Rd. *Liv* —1G **5**
Selkirk Av. *Wir* —1G **39**
Selkirk Clo. *L Sut* —2H **45**
Sellar St. *Liv* —4G **5**
Selston Clo. *Wir* —1G **33**
Selwyn St. *Liv* —2G **5**
Serpentine Rd. *Wall* —6G **3**
Servite Clo. *Ell P* —1F **47**
Servite Pl. *Nest* —6C **36**
Sessions Rd. *Liv* —3F **5**
Seven Acres La. *Wir* —4C **24**
Sevenoaks Clo. *Liv* —6G **5**
Seven Row. *L Nes* —2C **42**
Severn St. *Birk* —4E **11**
Severn St. *Liv* —5H **5**
Severnvale. *Whitby* —4H **47**
Seymour Ct. *Birk* —3A **20**
Seymour Dri. *Ell P* —1E **47**
Seymour Pl. E. *Wall* —3F **3**
Seymour Pl. W. *Wall* —3F **3**
Seymour St. *Birk* —3H **19**
Seymour St. *Liv* —3G **13**
Seymour St. *Mil B* —1D **4**
Seymour St. *Wall* —3F **3**
Shackleton Rd. *Wir* —1H **9**
Shadwell Clo. *Liv* —5D **4**
Shadwell St. *Liv* —6D **4**
Shaftesbury St. *Liv* —1G **21**
Shakespeare Av. *Birk* —6B **20**
Shakespeare Rd. *Nest* —4C **36**
Shakespeare Rd. *Wall* —3H **11**
Shalem Ct. *Wir* —3D **26**
Shalford Gro. *Wir* —5F **15**
Shallmarsh Clo. *Wir* —4D **26**
Shallmarsh St. *Wir* —4D **26**
Shallmarsh Rd. *Wir* —4D **26**
Shamrock Rd. *Birk* —6D **10**
Shannon St. *Birk* —4D **10**
Sharpeville Clo. *Wir* —4F **5**
Shavington Av. *Pren* —4D **18**
Shawbury Av. *Wir* —2G **39**
Shaw Clo. *Gt Sut* —3F **47**
Shaw Hill St. *Liv* —3F **13**
Shaw La. *Wir* —5C **16**
Shaws All. *Liv* —5E **13**
(in two parts)
Shaws Dri. *Wir* —5F **7**
Shaw St. *Birk* —2G **19**
Shaw St. *Liv* —1H **13**
Shaw St. *Wall* —2A **12**
Shaw St. *Wir* —6D **6**
Shearman Clo. *Wir* —5C **24**

Shearman Rd. *Wir* —5C **24**
Sheehan Heights. *Liv* —5E **5**
Sheen Rd. *Wall* —5G **3**
Sheepfield Clo. *L Sut* —6C **40**
Sheldon Clo. *Wir* —2G **33**
Sheldrake Gro. *L Nes* —2C **42**
Shelley Way. *Wir* —1A **22**
Shellway Rd. *Ell P* —4D **48**
Shelmore Dri. *Liv* —3G **21**
Shelton Rd. *Wall* —5E **3**
Shenley Clo. *Wir* —3F **27**
Shepherd Clo. *Wir* —3C **16**
Shepherd St. *Liv* —3H **13**
Shepsides Clo. *Gt Sut* —5C **46**
Shepston Av. *Liv* —2H **5**
Shepton Rd. *Gt Sut* —5E **47**
Sherborne Rd. *Wall* —6D **2**
Sherbourne Rd. *Ell P* —4B **48**
Sheriff Clo. *Liv* —1G **13**
Sheringham Clo. *Wir* —6G **9**
Sherlock La. *Wall* —3E **11**
Sherlock St. *Liv* —4H **5**
Sherry La. *Wir* —5G **17**
Sherwood Av. *Wir* —3H **23**
Sherwood Dri. *Wir* —2E **27**
Sherwood Gro. *Wir* —5H **7**
Sherwood Rd. *Wall* —2G **11**
Sherwood Rd. *Wir* —6H **7**
Sherwood St. *Liv* —6D **4**
Shetland Dri. *Ell P* —6A **48**
Shetland Dri. *Wir* —3C **34**
Shewell Clo. *Birk* —3H **19**
Shiel Rd. *Wall* —4F **3**
Shipton Clo. *Pren* —6C **18**
Shirley St. *Wall* —2A **12**
Shones Cft. *Ness* —2E **43**
Shore Bank. *Wir* —1A **28**
Shore Dri. *Wir* —3A **28**
Shorefields. *Wir* —1H **27**
Shorefields Ho. *Wir* —2A **28**
Shorefields Village. *Liv* —4H **21**
Shore La. *Wir* —2A **22**
Shore Rd. *Birk* —6A **12**
Shore Rd. *Cald* —2A **22**
Shortfield Rd. *Wir* —3G **17**
Shortfield Way. *Wir* —3G **17**
Shotwick Helsby By-Pass. *Back*
—6A **46**
Shrewsbury Clo. *Pren* —1D **18**
Shrewsbury Dri. *Wir* —1G **17**
Shrewsbury Rd. *Ell P* —2A **48**
Shrewsbury Rd. *Hes* —2C **30**
Shrewsbury Rd. *Pren* —6D **10**
Shrewsbury Rd. *Wall* —6D **2**
Shrewsbury Rd. *W Kir* —6C **14**
Shropshire Rd. *L Stan* —4D **48**
Shuttleworth Clo. *Wir* —1E **17**
Sidings, The. *Birk* —5B **20**
Sidlaw Clo. *L Sut* —1A **46**
Sidney Av. *Wall* —3E **3**
Sidney Clo. *Nest* —4D **36**
Sidney Gdns. *Birk* —3A **20**
Sidney Rd. *Birk* —3A **20**
Sidney Rd. *Boot* —1F **5**
Sidney Rd. *Nest* —4D **36**
Sidney St. *Birk* —6A **12**
Sidney Ter. *Birk* —4A **20**
Silkhouse La. *Liv* —3E **13**
Silverbeech Rd. *Wall* —2G **11**
Silver Birches. *Whitby* —6A **46**
Silverbirch Gdns. *Wall* —6C **2**
Silverbirch Way. *Whitby* —6A **46**
Silverburn Av. *Wir* —4E **9**
Silverdale Rd. *Pren* —3E **19**
Silverdale Rd. *Wir* —2F **27**
Silverlea Av. *Wall* —6E **3**
Silverne Dri. *Whitby* —5G **47**
Silvester St. *Liv* —6E **5**
Simonsbridge. *Wir* —3B **22**
Simpson St. *Birk* —1H **19**
Simpson St. *Liv* —6F **13**
Sim St. *Liv* —2G **13**
Singleton Av. *Birk* —4G **19**
Singleton Rd. *Gt Sut* —3F **47**
Sir Howard St. *Liv* —5H **13**
Sir Howard Way. *Liv* —5H **13**
Sir Thomas St. *Liv* —3E **13**
Sisters Way. *Birk* —1H **19**
Skelthorne St. *Liv* —4E **13**
Skiddaw Rd. *Wir* —1C **34**
Skipton Dri. *L Sut* —3C **46**
Skirving Pl. *Liv* —5F **5**
Skirving St. *Liv* —5F **5**

Skye Clo. *Ell P* —6A **48**
Slater Pl. *Liv* —5F **13**
Slater St. *Liv* —5F **13**
Slatey Rd. *Pren* —1F **19**
Sleepers Hill. *Liv* —4H **5**
Slessor Av. *Wir* —4F **15**
Slingsby Dri. *Wir* —3G **17**
Smallacres. *Ell P* —6F **41**
Smallridge Clo. *Wir* —5A **24**
Smallwoods M. *Wir* —1A **30**
Smeaton St. *Liv* —2G **5**
(in two parts)
Smeaton St. S. *Liv* —2G **5**
Smilie Av. *Wir* —4C **8**
Smith Av. *Birk* —5F **11**
Smithdown La. *Liv* —4H **13**
(in two parts)
Smithfield St. *Liv* —3E **13**
Smith Pl. *Liv* —5F **5**
Smith St. *Liv* —4F **5**
Smithy Clo. *Ness* —3E **43**
Smithy Ct. *L Sut* —1C **46**
Smithy Hey. *Wir* —5E **15**
Smithy Hill. *Wir* —5A **32**
Smithy La. *L Sut* —1C **46**
Smithy La. *Liv* —1H **5**
Smithy La. *Will* —5C **38**
Smugglers Way. *Wall* —3C **2**
Snab La. *Ness* —3D **42**
Snabwood Clo. *L Nes* —2C **42**
Snowden Rd. *Ell P* —2A **48**
Snowden Rd. *Wir* —5C **8**
Snowdon Clo. *L Sut* —1A **46**
Snowdon La. *Liv* —6E **5**
Snowdon Rd. *Birk* —5H **19**
Snowdon Av. *Birk* —5D **10**
Snowdrop St. *Liv* —4F **5**
Soho Pl. *Liv* —2G **13**
Soho Sq. *Liv* —2G **13**
Soho St. *Liv* —2G **13**
(in two parts)
Solly Av. *Birk* —5A **20**
Solway St. *Birk* —4E **11**
Somerset Rd. *Hes* —5A **24**
Somerset Rd. *Wall* —6C **2**
Somerset Rd. *W Kir* —4E **15**
Somerville Clo. *Brom* —5H **33**
Somerville Clo. *Nest* —2C **42**
Somerville Cres. *Ell P* —3A **48**
Somerville St. Clo. *Liv* —5G **5**
Sorrel Clo. *Pren* —6F **19**
South Bank. *Pren* —4F **19**
Southbourne Rd. *Wall* —6B **2**
S. Chester St. *Liv* —1G **21**
Southcroft Rd. *Wall* —6B **2**
Southdale Rd. *Birk* —5A **20**
South Dri. *Hes* —4C **30**
South Dri. *Irby* —4G **23**
South Dri. *Upt* —2G **17**
Southern Cres. *Liv* —2F **21**
S. Ferry Quay. *Liv* —1E **21**
Southfield Rd. *L Sut* —1C **46**
South Gro. *Ding* —3H **21**
S. Hey Rd. *Wir* —5H **23**
S. Hill Gro. *Liv* —3H **21**
S. Hill Gro. *Pren* —4F **19**
S. Hill Rd. *Liv* —4H **21**
S. Hill Rd. *Pren* —3F **19**
S. Hunter St. *Liv* —5G **13**
S. John St. *Liv* —4E **13**
South Pde. *Park* —5A **36**
South Pde. *W Kir* —5C **14**
S. Park Ct. *Wall* —2A **12**
S. Park Way. *Boot* —1F **5**
S. Pier Rd. *Ell P* —2H **41**
Southport Rd. *Boot* —1G **5**
South Quay. *Liv* —5E **13**
Southridge Rd. *Wir* —4C **24**
South Rd. *Birk* —4G **19**
South Rd. *Ell P* —2D **48**
South Rd. *W Kir* —6D **14**
South Rd. *Wolv* —4A **48**
S. Sefton Bus. Cen. *Boot* —1D **4**
South St. *Liv* —2H **21**
South Vw. *Wall* —4B **28**
South Vs. *Wall* —4F **3**
Southwell Pl. *Liv* —2G **21**
Southwell St. *Liv* —2G **21**
Southwick Rd. *Birk* —5A **20**
S. Wirral Retail Pk. *Wir* —6B **28**
Sparks La. *Hes* —3D **24**
Sparling St. *Liv* —6F **13**
Speedwell Clo. *Wir* —3E **31**

Speedwell Dri. *Wir* —3E **31**
Speedwell Rd. *Birk* —6D **10**
Spellow La. *Liv* —3H **5**
Spellow Pl. Liv —3D 12
(off Union St.)
Spencer Av. *Wir* —4G **9**
Spencer St. *Liv* —1H **13**
Spenser Av. *Birk* —6B **20**
Spenser Rd. *Nest* —4C **36**
Spindle Clo. *Liv* —1H **13**
Spindrift Ct. *W Kir* —6C **14**
Spinney Dri. *Gt Sut* —4D **46**
Spinney, The. *Beb* —6H **27**
Spinney, The. *Hes* —6E **31**
Spinney, The. *Park* —5A **36**
Spinney, The. *W Kir* —5G **15**
Spinney, The. *Wir* —1G **17**
Spital. —6H 27
Spital Heyes. *Wir* —6H **27**
Spital Rd. *Wir* —6G **27**
Sprainger St. *Liv* —1D **12**
Spring Av. *L Sut* —1C **46**
Springcroft. *Park* —4A **36**
Springfield. *Liv* —2G **13**
(in two parts)
Springfield Av. *Wir* —4G **15**
Springfield Clo. *Wir* —5A **18**
Springfield Sq. *Liv* —3H **5**
Spring Gdns. *L Sut* —1C **46**
Springhill Av. *Wir* —5B **34**
Spring St. *Birk* —4B **20**
Spring Va. *Wall* —4C **2**
Springwood Way. *Wir* —1G **27**
Spruce Clo. *Birk* —3H **19**
Spunhill Av. *Gt Sut* —5C **46**
Spurgeon Clo. *Liv* —6H **5**
Spurstow Clo. *Pren* —4D **18**
Square, The. *Park* —4A **36**
Stable Clo. *Wir* —3D **16**
Stackfield, The. *Wir* —4H **15**
Stadium Rd. *Wir* —6C **28**
Stafford Gdns. *Ell P* —2H **47**
Stafford St. *Liv* —3G **13**
Stakes, The. *Wir* —2E **9**
Stamford St. *Ell P* —2G **47**
Stanbury Av. *Wir* —3G **27**
Standard Pl. *Birk* —4B **20**
Standish St. *Liv* —2E **13**
Stanfield Av. *Liv* —6H **5**
Stanfield Dri. *Wir* —6F **27**
Stanford Av. *Wall* —4F **3**
Stanhope Dri. *Wir* —2B **34**
Stanhope St. *Liv* —1F **21**
(in two parts)
Stanlaw Rd. *Ell P* —3A **48**
Stanley Av. *Wall* —5B **2**
Stanley Av. *Wir* —1B **26**
Stanley Clo. *Liv* —4F **5**
Stanley Clo. *Wall* —3A **12**
Stanley Ct. *Birk* —4B **20**
Stanley La. *Wir* —1H **39**
Stanley Pk. —3H 5
Stanley Precinct. *Boot & Liv* —1F **5**
Stanley Rd. *Birk* —4D **10**
Stanley Rd. *Boot & Kirk* —1E **5**
Stanley Rd. *New F* —1G **27**
Stanley Rd. *Pra* —2A **14**
Stanley St. *Liv* —3E **13**
Stanley St. *Wall* —3A **12**
Stanley Theatre. —4H 13
Stanmore Pk. *Wir* —4B **16**
Stanney Clo. *East* —2G **39**
Stanney Clo. *Nest* —6C **36**
Stanney La. *Ell P* —3H **47**
(in two parts)
Stanney Mill La. *Ell P* —6D **48**
Stanney Mill Rd. *L Stan* —4D **48**
Stanney Ten Ind. Est. *Ell P* —5D **48**
Stanney Woods Av. *Ell P* —6A **48**
Stanton Clo. *Nest* —5C **36**
Stanton Ct. Nest —5C 36
(off Stanton Clo.)
Stanton Rd. *Wir* —6E **27**
Stapleford Ct. *Ell P* —5F **41**
Stapleton Av. *Wir* —3D **16**
Starbeck Dri. *L Sut* —1B **46**
Star St. *Liv* —1G **21**
Starworth Dri. *Wir* —2A **28**
Statham Rd. *Pren* —5A **10**
Station App. *Meol* —5G **7**
Station App. *Wir* —3E **9**

Station Av. *L Sut* —6C **40**
Station Clo. *Nest* —6D **36**
Station Grn. *L Sut* —6C **40**
Station Rd. *Birk* —4D **10**
Station Rd. *Burt* —5E **43**
Station Rd. *Ell P* —1A **48**
(in two parts)
Station Rd. *Hes* —5B **30**
Station Rd. *Hoy* —1D **14**
Station Rd. *L Sut* —1C **46**
Station Rd. *Nest* —6C **36**
(in two parts)
Station Rd. *Park* —5A **36**
Station Rd. *Thur* —5E **23**
Station Rd. *Wall* —1E **11**
Station Rd. *Wir* —4F **25**
Stavordale Rd. *Wir* —4G **9**
Steble St. *Liv* —2H **21**
Steel Av. *Wall* —5G **3**
Steel Ct. *Liv* —5E **5**
Steeple Ct. *Nest* —6C **36**
Steeple, The. *Wir* —3B **22**
Steers St. *Liv* —1H **13**
Steinberg Ct. *Liv* —1E **13**
Stepford St. *Liv* —3H **21**
Stephens Gdns. *L Sut* —1B **46**
Stephens La. *Liv* —3E **13**
Stephens Ter. *L Sut* —1B **46**
Stepney Gro. *Liv* —2H **5**
Sterling Way. *Liv* —5F **5**
Stevenson Dri. *Wir* —6F **27**
Stevens Rd. *Wir* —4E **31**
Stewart Clo. *Wir* —6B **24**
Stillington Rd. *Liv* —3H **21**
Stiperstones Clo. *L Sut* —1H **45**
Stirling Ct. *Ell P* —4B **48**
Stirling St. *Wall* —3F **11**
Stockbridge Pl. *Liv* —5H **5**
Stockbridge St. *Liv* —6H **5**
Stockdale Clo. *Liv* —2E **13**
Stoddart Rd. *Liv* —1H **5**
Stoke Clo. *Wir* —2G **39**
Stoke Gdns. *Ell P* —3A **48**
Stokesay. *Pren* —1B **18**
Stokesay Ct. *Ell P* —4C **48**
Stoke St. *Birk* —5H **11**
Stoke Wlk. *Ell P* —3A **48**
Stonebank Dri. *L Nes* —1E **43**
Stoneby Dri. *Wall* —4E **3**
Stonegate Dri. *Liv* —3H **21**
Stonehey Dri. *Wir* —1A **22**
Stonehill Av. *Wir* —3G **27**
Stonehouse Rd. *Wall* —6C **2**
Stoneleigh Gro. *Birk* —1F **27**
Stoneridge Ct. *Pren* —5A **10**
Stone St. *Liv* —1D **12**
Stoney Hey Rd. *Wall* —4E **3**
Stonham Clo. *Wir* —2E **17**
Store St. *Liv* —2F **5**
Storeton Brickfields. —4G 25
Storeton Clo. *Pren* —4E **19**
Storeton La. *Wir* —6E **25**
Storeton Rd. *Birk* —6G **19**
Storeton Rd. *Pren* —4E **19**
Stourcliffe Rd. *Wall* —1E **11**
Stour Ct. *Ell P* —6H **41**
Stourport Clo. *Wir* —3C **16**
Stourton St. *Wall* —3G **11**
Stowell St. *Liv* —6H **13**
Strada Way. *Liv* —2H **13**
Straker Av. *Ell P* —1F **47**
Strand Rd. *Wir* —6D **6**
Strand St. *Liv* —4E **13**
Strand, The. *Liv* —4D **12**
Stratford Rd. *Nest* —1C **42**
Strathallan Clo. *Wir* —1A **30**
Strathcona Rd. *Wall* —5F **3**
Strathearn Rd. *Wir* —6B **30**
Stratton Clo. *Wall* —5G **3**
Strawberry Dri. *Whitby* —6B **46**
Strawberry Grn. *Whitby* —6B **46**
Street Hey La. *Will* —2D **38**
Stretton Av. *Wall* —1E **11**
Stretton Clo. *Pren* —4C **18**
Stretton Clo. *Wir* —2G **39**
Stringhey Rd. *Wall* —6G **3**
Stroud Clo. *Wir* —4C **16**
Stuart Av. *Wir* —4F **9**
Stuart Clo. *Wir* —5G **9**
Stuart Gro. *Liv* —2F **5**
Stuart Rd. *Birk* —4H **19**
Stuart Rd. *Walt* —1G **5**

Stuart Rd. N. *Liv & Boot* —1G **5**
Studholme St. *Liv* —4E **5**
Studley Rd. *Wall* —5C **2**
Sudworth Rd. *Wall* —4E **3**
Suffield Rd. *Liv* —3F **5**
Suffolk Av. *Ell P* —2G **47**
Suffolk St. *Liv* —5F **13**
Sugnall St. *Liv* —5H **13**
(in two parts)
Sullivan Av. *Wir* —3F **17**
Summerfield. *Wir* —1B **34**
Summer Seat. *Liv* —1F **13**
Summers Rd. *Brun B* —2F **21**
Summertrees Av. *Wir* —3D **16**
Summertrees Clo. *Wir* —3D **16**
Summertrees Rd. *Gt Sut* —5E **47**
Summerwood. *Wir* —2H **23**
Summit, The. *Wall* —6G **3**
Sumner Clo. *Liv* —6E **5**
Sumner Rd. *Pren* —5D **10**
Sunbury Rd. *Wall* —2G **11**
Suncroft Rd. *Wir* —4E **31**
Sundridge St. *Liv* —3H **21**
Sunfield Clo. *Gt Sut* —4D **46**
Sunfield Rd. *Wir* —3F **9**
Sunningdale. *Wir* —5F **9**
Sunningdale Dri. *Brom* —5H **33**
Sunningdale Dri. *Hes* —4C **24**
Sunningdale Rd. *Wall* —3D **2**
Sunningdale Way. *Nest* —2C **42**
Sunny Bank. *Beb* —3D **26**
Sunnybank. *Upt* —1F **17**
Sunnybank Av. *Pren* —3B **18**
Sunnyside. Ell P —1A 48
(off Church St.)
Sunnyside. *Wir* —3D **8**
Surrey Av. *Wir* —2F **17**
Surrey Rd. *Wir* —1A **22**
Surrey St. *Liv* —5F **13**
Surrey St. *Wall* —2E **11**
Susan Gro. *Wir* —5D **8**
Sussex Clo. *Wir* —5A **24**
Sussex Rd. *Wir* —4E **15**
Sutherland Dri. *Wir* —1F **39**
Sutton Av. *Nest* —1C **42**
Sutton Clo. *Wir* —2G **39**
Sutton Green. —4C 46
Sutton Hall Dri. *L Sut* —1A **46**
Sutton Hall Gdns. *L Sut* —1A **46**
Sutton Rd. *Wall* —4F **3**
Sutton Way. *Gt Sut* —3D **46**
Swaledale Clo. *Wir* —6C **34**
Swale Rd. *Ell P* —6G **41**
Swan Ct. *Pren* —5D **18**
Swanston Av. *Liv* —2H **5**
Sweetfield Gdns. *L Sut* —6D **40**
Sweetfield Rd. *L Sut* —6D **40**
Sweeting St. *Liv* —4E **13**
Swift Weint. *Park* —4A **36**
Swindon Clo. *Liv* —4F **5**
Swindon Clo. *Wir* —3C **16**
Swindon St. *Liv* —4F **5**
Sybil Rd. *Liv* —4H **5**
Sycamore Av. *Wir* —6D **8**
Sycamore Clo. *Wir* —6D **8**
Sycamore Ct. Liv —3H 21
(off Weller Way)
Sycamore Dri. *Whitby* —6F **47**
Sycamore Ri. *Wir* —5C **16**
Sycamore Rd. *Birk* —3H **19**
Sylvandale Gro. *Wir* —6B **28**
Syren St. *Liv* —3E **5**
Sytch Croft. *Nest* —5C **36**

Tabley Clo. *Pren* —5D **18**
Tabley St. *Liv* —5E **13**
Tace Clo. *Liv* —6F **13**
Talbot Av. *L Nes* —1D **42**
Talbot Av. *Thor H* —2A **32**
Talbot Clo. *L Nes* —1D **42**
Talbot Ct. *Pren* —3E **19**
Talbot Gdns. *L Nes* —1D **42**
Talbot Rd. *Pren* —3E **19**
Talbot Rd. *Gt Sut* —4F **47**
Taliesin St. *Liv* —6F **5**
Tamar Clo. *Liv* —1H **13**
Tamworth St. *Liv* —2G **21**
Tanar Clo. *Wir* —6H **27**
Tancred Rd. *Liv* —4H **5**
Tancred Rd. *Wall* —6E **3**
Tannery La. *Nest* —5C **36**
Tansley Clo. *Wir* —5G **15**

Tanworth Gro.—Vanguard St.

Tanworth Gro. *Wir* —4B **8**
Tarbot Hey. *Wir* —5C **8**
Target Rd. *Wir* —3G **29**
Tariff St. *Liv* —6E **5**
Tarleton St. *Liv* —4F **13**
Tarporley Clo. *Pren* —4D **18**
Tarporley Rd. *Gt Sut* —3E **47**
Tarran Dri. *Tarr I* —3D **8**
Tarran Rd. *Tarr I* —3D **8**
Tarran Way E. *Tarr I* —2D **8**
Tarran Way Ind. Est. *Tarr I* —3D **8**
Tarran Way N. *Tarr I* —3D **8**
Tarran Way S. *Tarr I* —3D **8**
Tarran Way W. *Tarr I* —3D **8**
Tarvin Clo. *Ell P* —3A **48**
Tarvin Rd. *Wir* —1H **39**
Tate Gallery. —5D **12**
Tate St. *Liv* —3H **5**
Tatlock St. *Liv* —1E **13**
(in two parts)
Tattersall Pl. *Boot* —1D **4**
Tatton Rd. *Birk* —2H **19**
Taunton Rd. *Wall* —5C **2**
Tavener Clo. *Wir* —6A **34**
Tavistock Rd. *Wall* —5D **2**
Tavy Rd. *Liv* —1H **13**
Tawd St. *Liv* —3G **5**
Taylor St. *Birk* —6A **12**
Taylor St. *Liv* —6F **5**
Taylor St. Ind. Est. *Liv* —6F **5**
(off Taylor St.)
Teals Way. *Wir* —3A **30**
Tebay Rd. *Wir* —3C **34**
Teehey Clo. *Wir* —3D **26**
Teehey Gdns. *Wir* —3D **26**
Teehey La. *Wir* —3D **26**
Tees Clo. *Liv* —2F **5**
Tees Ct. *Ell P* —6G **41**
Teesdale Rd. *Wir* —5E **27**
Tees Pl. *Liv* —2G **5**
Tees St. *Birk* —4D **10**
Tees St. *Liv* —2F **5**
Teign Clo. *Liv* —1H **13**
Teilo St. *Liv* —2H **21**
Telary Clo. *Liv* —6E **5**
Telegraph La. *Wall* —6A **2**
Telegraph Rd. *Hes* —6H **23**
Telegraph Rd. *W Kir & Thur* —2D **22**
Telford Clo. *Pren* —3F **19**
Telford Rd. *Ell P* —3C **48**
Telford's Quay. *Ell P* —2H **41**
Tempest Hey. *Liv* —3E **13**
Temple Ct. *Liv* —4E **13**
Temple La. *Liv* —3E **13**
Templemore Rd. *Pren* —3E **19**
Temple Rd. *Birk* —5G **19**
Temple St. *Liv* —3E **13**
Tenby Dri. *Wir* —5F **9**
Tenby St. *Liv* —5H **5**
Tennyson Av. *Birk* —6B **20**
Tennyson Rd. *Whitby* —3G **47**
Tennyson Wlk. *Liv* —1H **21**
Tenterden St. *Liv* —1F **13**
Terminus Rd. *Wir* —6B **28**
Tern Way. *Wir* —4B **8**
Tetbury St. *Birk* —2G **19**
Tetchill Clo. *Gt Sut* —5D **46**
Tetlow St. *Liv* —3H **5**
Tetlow Way. *Liv* —3H **5**
Teulon Clo. *Liv* —3H **5**
Tewkesbury Clo. *Gt Sut* —6A **46**
Thamesdale. *Whitby* —4G **47**
Thames Gdns. *Whitby* —4G **47**
Thames Side. *Whitby* —4H **47**
Thelwall Rd. *Gt Sut* —3E **47**
Thermal Rd. *Wir* —5B **28**
Thermopylae Ct. Pren —1B **18**
(off Redstone Ri.)
Thermopylae Pas. *Pren* —1A **18**
(in two parts)
Thingwall. —3C 24
Thingwall Dri. *Wir* —3C **24**
Thingwall Recreation Cen. —3D **24**
Thingwall Rd. *Wir* —3H **23**
Thingwall Rd. E. *Wir* —3C **24**
Third Av. *Pren* —1A **18**
Thirlmere Av. *Pren* —1A **18**
Thirlmere Dri. *Wall* —6F **3**
Thirlmere Rd. *Eve* —6H **5**
Thirlmere Rd. *Nest* —1C **42**
Thirlmere Rd. *Whitby* —5H **47**
Thistledom Clo. *Liv* —4H **21**
Thistleton Av. *Birk* —5D **10**

Thomas Clo. *Whitby* —5H **47**
Thomas St. *Birk* —2A **20**
(in two parts)
Thomaston St. *Liv* —5G **5**
(in two parts)
Thomas Winder Ct. *Liv* —5F **5**
Thompson St. *Birk* —3A **20**
Thorburn Clo. *Wir* —1H **27**
Thorburn Ct. *Wir* —6D **20**
Thorburn Cres. *Wir* —1H **27**
Thorburn Rd. *Wir* —1H **27**
Thorncliffe Rd. *Wall* —2E **11**
Thorncroft Dri. *Wir* —5D **24**
Thorndale St. *Liv* —4G **5**
Thorne Dri. *L Sut* —2B **46**
Thorne La. *Wall* —6D **2**
Thorness Clo. *Wir* —5C **16**
Thorneycroft St. *Birk* —5E **11**
Thornfield Hey. *Wir* —1G **33**
Thornham Clo. *Wir* —6G **9**
Thornleigh Av. *Wir* —1H **39**
Thornleigh Dri. *Ell P* —1E **47**
Thornley Rd. *Wir* —6C **8**
Thornridge. *Wir* —5G **9**
Thorns Dri. *Wir* —5C **16**
Thornton Av. *Wir* —1D **26**
Thornton Comn. Rd. *Wir* —5B **32**
Thornton Cres. *Wir* —5D **30**
Thornton Gro. *Wir* —1D **26**
Thornton Hough. —5B 32
Thornton M. *Chil T* —5B **40**
Thornton Rd. *Beb* —1C **26**
Thornton Rd. *Ell P* —3B **48**
Thornton Rd. *Wall* —5E **3**
Thornton St. *Birk* —5E **11**
Thorntree Clo. *Aig* —4H **21**
Thornwythe Gro. *Gt Sut* —3E **47**
Thorpe Bank. *Birk* —1F **27**
Thorstone Dri. *Wir* —2G **23**
Thorsway. *Birk* —5B **20**
Thorsway. *Wir* —1B **22**
Three Lanes End. —2B 16
Thresher Av. *Wir* —3C **16**
Thursby Rd. *Croft B* —1C **34**
Thurstaston. —4F 23
Thurstaston Rd. *Hes* —2A **30**
Thurstaston Rd. *Irby & Thur* —4F **23**
Tichbourne Way. *Liv* —2H **13**
Tideway. *Wall* —3C **2**
Tillotson Clo. *Liv* —2G **21**
Tilstock Av. *Wir* —4F **11**
Tilstock Cres. *Pren* —6D **18**
Tilston Rd. *Wall* —5E **3**
Tinas Way. *Wir* —2G **17**
Tinsley St. *Liv* —4H **5**
Tintern Dri. *Wir* —5E **9**
Titchfield St. *Liv* —1E **13**
Tithebarn Clo. *Wir* —4B **30**
Tithebarn Dri. *Park* —3A **36**
Tithebarn St. *Liv* —3E **13**
Tiverton Av. *Wall* —1E **11**
Tobin Clo. *Liv* —1E **13**
Tobin St. *Wall* —1H **11**
Toleman Av. *Wir* —4G **27**
Tollemache Rd. *Birk & Pren* —6C **10**
Tollemache St. *Wall* —3F **3**
Tolpuddle Way. *Liv* —3F **5**
Tom Mann Clo. *Liv* —2F **13**
Topaz Clo. *Liv* —2G **5**
Topgate Clo. *Hes* —3D **30**
Tordelow Clo. *Liv* —1H **13**
Toronto St. *Wall* —2A **12**
Torridon Gro. *Gt Sut* —4F **47**
Torrington Dri. *Wir* —3D **24**
Torrington Gdns. *Wir* —2D **24**
Torrington Rd. *Wall* —1E **11**
Torr St. *Liv* —5G **5**
(in two parts)
Torwood. *Pren* —1B **18**
Tourist Info. Cen. —5E **13**
(Albert Dock)
Tourist Info. Cen. —6B **12**
(Birkenhead)
Tourist Info. Cen. —2G **3**
(New Brighton)
Tourist Info. Cen. —4F **13**
(Queen Sq.)
Tower Gdns. *Liv* —4D **12**
Tower Hill. *Birk* —4H **19**
Tower Promenade. *Wall* —2G **3**
Tower Quays. *Birk* —5A **12**
Tower Rd. *Birk* —5A **12**
Tower Rd. *Pren* —6F **19**

Tower Rd. *Tran* —4H **19**
Tower Rd. N. *Wir* —1A **30**
Tower Rd. S. *Wir* —2B **30**
Towers, The. *Birk* —5A **20**
Tower St. *Brun B* —2F **21**
Tower Wharf. *Birk* —5A **12**
Townfield Clo. *Pren* —4C **18**
Townfield Gdns. *Wir* —2F **27**
Townfield La. *Pren* —4C **18**
Townfield La. *Wir* —2F **27**
Townfield Rd. *Wir* —5D **14**
Town Fields. *Wall* —5C **2**
Townfield Way. *Wall* —1F **11**
Town La. *Beb* —3D **26**
Town La. *L Nes* —1D **42**
Townley Ct. Wir —6D **6**
(off Marmion Rd.)
Town Mdw. La. *Wir* —4B **8**
Town Rd. *Birk* —4H **19**
Townsend St. *Birk* —4C **10**
Townsend St. *Liv* —5D **4**
Townshend Av. *Wir* —4H **23**
Town Vw. *Pren* —2G **19**
Town Vw. M. *Pren* —2G **19**
Towson St. *Liv* —5H **5**
(in two parts)
Toxteth. —2H 21
Toxteth Gro. *Liv* —3H **21**
Toxteth Sports Cen. —1H **21**
Toxteth St. *Liv* —2G **21**
Trafalgar. —5G 27
Trafalgar Av. *Wall* —6H **3**
Trafalgar Dri. *Wir* —5G **27**
Trafalgar Rd. *Wall* —6G **3**
Trafalgar Way. *Ersk* —2H **13**
Tramway & Mus. —6B **12**
Tranmere. —2H 21
Tranmere Rovers F.C. —5G **19**
Treborth St. *Liv* —2H **21**
Treetops. *Nest* —3C **42**
Treetops Dri. *Birk* —4B **10**
Treforris Rd. *Wall* —4D **2**
Trentdale. *Ell P* —4H **47**
Trentham Rd. *Wall* —2G **11**
Trent St. *Birk* —4D **10**
Trent St. *Liv* —5E **5**
Trent Way. *Wir* —5E **31**
Trevelyan St. *Liv* —1H **5**
Trigg M. *Liv* —3E **5**
Trimley Clo. *Wir* —2E **17**
Tring Clo. *Wir* —6G **9**
Trinity Ct. *Wir* —6D **6**
Trinity La. *Birk* —6A **12**
Trinity Pl. *Boot* —1F **5**
Trinity Rd. *Boot & Liv* —1E **5**
Trinity Rd. *Wall* —6F **3**
Trinity Rd. *Wir* —6D **6**
Trinity St. *Birk* —6G **11**
Trinity Wlk. *Liv* —2G **13**
Troon Clo. *Wir* —6A **34**
Troutbeck Clo. *Wir* —5G **17**
Trowbridge St. *Liv* —4G **13**
Trueman Clo. *Pren* —5A **10**
Trueman St. *Liv* —3F **13**
Trumans La. *L Sut* —6C **40**
Truro Clo. *Gt Sut* —6A **46**
Tudor Av. *Wall* —3A **12**
Tudor Av. *Wir* —6G **27**
Tudor Clo. *Gt Sut* —6A **46**
Tudor Clo. *Liv* —4H **13**
Tudor Grange. *Wir* —4D **16**
Tudor Rd. *Birk* —4A **20**
Tudorville Rd. *Wir* —4F **27**
Tudorway. *Wir* —3D **30**
Tulip Av. *Birk* —5D **10**
Tunnel Rd. *Birk* —2A **20**
Tunstall Clo. *Wir* —2E **17**
Tupman St. *Liv* —2H **21**
Turmar Av. *Wir* —3D **24**
Turnberry Clo. *Wir* —4B **8**
Turner St. *Birk* —2G **19**
Turney Rd. *Wall* —1E **11**
Turret Rd. *Wall* —5E **3**
Turriff Dri. *Wir* —1E **39**
Turrocks Clo. *L Nes* —2C **42**
Turrocks Cft. *L Nes* —2C **42**
Turton St. *Liv* —5F **5**
Tweed St. *Birk* —4E **11**
Twickenham Dri. *Wir* —2F **9**
Two Acre Gro. *Gt Sut* —6F **47**
Twomey Clo. *Liv* —1E **13**
Tyburn Clo. *Wir* —1F **33**
Tyburn Rd. *Wir* —1F **33**

Tyne Clo. *Liv* —3G **5**
Tynemouth Clo. *Liv* —6H **5**
Tynesdale. *Whitby* —4H **47**
Tyne St. *Birk* —4D **10**
Tynron Gro. *Pren* —3B **18**
Tynwald Rd. *Wir* —5C **14**
Tyrer St. *Birk* —4D **10**
Tyrer St. *Liv* —4F **13**

Ullapool Clo. *L Sut* —1H **45**
Ullswater Av. *Pren* —1B **18**
Ullswater Rd. *Ell P* —5A **48**
Ulverscroft. *Pren* —3D **18**
Underley Ter. *Wir* —2H **27**
Underwood Dri. *Ell P* —5H **47**
Unicorn Way. *Birk* —2B **20**
Union Ct. *Liv* —4E **13**
Union St. *Birk* —4A **20**
Union St. *Liv* —3D **12**
Union St. *Wall* —1H **11**
Union Ter. *Wall* —2F **3**
Unity Theatre. —5G **13**
University of Liverpool Art Gallery.
—5H **13**
University Rd. *Boot* —1F **5**
Upavon Av. *Wir* —4B **16**
Upchurch Clo. *Wir* —3H **21**
Upland Rd. *Upt* —1F **17**
Uplands Rd. *Brom* —2A **34**
Up. Beau St. *Liv* —1G **13**
Up. Beckwith St. *Birk* —5F **11**
Upper Bidston Village. —4A 10
Up. Brassey St. *Birk* —5D **10**
Up. Bute St. *Liv* —1G **13**
Up. Duke St. *Liv* —5G **13**
Up. Essex St. *Liv* —2H **21**
Up. Flatbrick Rd. *Birk* —6C **10**
Up. Frederick St. *Liv* —5F **13**
(in two parts)
Up. Hampton St. *Liv* —6H **13**
Up. Harrington St. *Liv* —1G **21**
(in two parts)
Up. Hill St. *Liv* —1G **21**
(in three parts)
Up. Hope Pl. *Liv* —5H **13**
Up. Huskisson St. *Liv* —6H **13**
Up. Mann St. *Liv* —1G **21**
(in two parts)
Up. Mersey St. *Ell P* —2G **41**
Up. Newington. *Liv* —4G **13**
Up. Park St. *Liv* —2H **21**
Up. Parliament St. *Liv* —6G **13**
Up. Pitt St. *Liv* —5F **13**
Up. Pownall St. *Liv* —5F **13**
Up. Raby Rd. *Nest* —3E **37**
Up. Rice La. *Wall* —6G **3**
Up. Stanhope St. *Liv* —6G **13**
(in two parts)
Up. Warwick St. *Liv* —1H **21**
Up. William St. *Liv* —1D **12**
Uppingham Rd. *Wall* —6D **2**
Upton. —2G 17
Upton By-Pass. *Wir* —1E **17**
Upton Clo. *Wir* —2F **17**
Upton Ct. *Wir* —1G **17**
Upton Cricket Club Ground. —2F **17**
Upton Pk. Dri. *Wir* —1E **17**
Upton Rd. *Gt Sut* —3D **46**
Upton Rd. *Pren* —2A **18**
Upton Rd. *Wir* —5E **9**
Ure Ct. *Ell P* —6G **41**
Urmson Rd. *Wall* —6F **3**
Ursula St. *Boot* —2F **5**
Utkinton Clo. *Pren* —4D **18**
UVECO Bus. Cen. *Birk* —3E **11**

Vale Dri. *Wall* —4G **3**
Vale Gdns. *Whitby* —3H **47**
Valentia Rd. *Wir* —1C **14**
Valerian Rd. *Birk* —6D **10**
Vale Rd. *Whitby* —3H **47**
Valiant Way. *Laird T* —3B **20**
Valkyrie Rd. *Wall* —6E **3**
Valleybrook Gro. *Wir* —1H **33**
Valley Dri. *Gt Sut* —2D **46**
Valley Rd. *Birk* —3B **10**
Valley Rd. *Wir* —3B **34**
Valley Rd. Bus. Pk. *Birk* —3C **10**
Valley Vw. *Gt Sut* —2D **46**
Vanderbyl Av. *Wir* —1A **34**
Vandries St. *Liv* —1D **12**
Vanguard St. *Liv* —5H **5**

Vardon St. *Birk* —5G **11**
Varthen St. *Liv* —4H **5**
Vaughan Rd. *Wall* —4F **3**
Vaughan St. *Birk* —5D **10**
Vauxhall. —6D 4
Vauxhall Rd. *Liv* —2E **13**
Veitch Rd. *Liv* —1E **13**
Venables Clo. *Wir* —2H **33**
Venables Dri. *Wir* —1G **33**
Venice St. *Liv* —5H **5**
Venmore St. *Liv* —5H **5**
(in two parts)
Venture Ct. Birk —2A **20**
(off Rodney St.)
Vere St. *Liv* —2G **21**
(in two parts)
Vernon Av. *Hoot* —3A **40**
Vernon Av. *Wall* —3H **11**
Vernon St. *Liv* —3E **13**
Verona St. *Liv* —5H **5**
Veronica Way. *Ell P* —6D **40**
Verulam Clo. *Liv* —6H **13**
Verwood Clo. *Wir* —2H **23**
Vescock St. *Liv* —6F **5**
Vesuvius Pl. *Liv* —5F **5**
Vesuvius St. *Liv* —5F **5**
Vicarage Clo. *Birk* —6F **19**
Vicarage Gro. *Wall* —6G **3**
Vicarage La. *Burt* —5H **43**
Viceroy St. *Liv* —5H **5**
Victoria Av. *Wir* —5C **30**
Victoria Ct. *Birk* —6H **11**
Victoria Dri. *Birk* —6C **20**
Victoria Dri. *Wir* —5C **14**
Victoria Fields. *Birk* —3G **19**
Victoria Gdns. *Pren* —3F **19**
Victoria La. *Pren* —3F **19**
Victoria Mt. *Pren* —3F **19**
Victoria Pde. *Wall* —2G **3**
Victoria Pk. —5A **20**
Victoria Pk. Rd. *Birk* —5H **19**
Victoria Pl. *Wall* —3A **12**
Victoria Rd. *Beb* —3D **26**
Victoria Rd. *Birk* —3G **19**
Victoria Rd. *Ell P* —2H **47**
Victoria Rd. *L Nes* —1D **42**
Victoria Rd. *Wall* —3E **3**
(in two parts)
Victoria Rd. *W Kir* —6D **14**
Victoria St. *Liv* —4E **13**
Victoria St. *Wir* —4H **27**
Vienna St. *Liv* —5H **5**
Village Clo. *Wall* —5C **2**
Village Ct. *Irby* —3H **23**
Village Grn. Ct. *Pren* —5A **10**
Village Rd. *Beb* —3D **26**
Village Rd. *Hes* —4B **30**
Village Rd. *Pren* —3E **19**
Village Rd. *W Kir* —5E **15**
Village St. *Liv* —1H **13**
Village, The. *Beb* —3G **27**
Village, The. *Barn* —4H **43**
Village Way. *Wall* —5C **2**
Vincent Ct. *Liv* —5H **5**
Vincent Naughton Ct. *Birk* —2A **20**
Vincent St. *Birk* —1H **19**
Vine Rd. *Gt Sut* —6F **47**
Vine St. *Birk* —6G **11**
Vine St. *Liv* —5H **13**
Vining St. *Liv* —1H **21**
Viola St. *Boot* —2E **5**
Violet Rd. *Birk* —6D **10**
Virgil St. *Liv* —1F **13**
Virginia Rd. *Wall* —2F **3**
Virginia St. *Liv* —3D **12**
Virginia Ter. *Chil T* —5B **40**
Vittoria Clo. *Birk* —6H **11**
Vittoria St. *Birk* —6G **11**
Vivian Av. *Wall* —3A **12**
Vronhill Clo. *Liv* —1H **21**
Vulcan Clo. *Birk* —5D **10**
Vulcan St. *Birk* —5D **10**
Vulcan St. *Liv* —1D **12**
Vyner Clo. *Pren* —1C **18**
Vyner Ct. *Pren* —1C **18**
Vyner Rd. *Wall* —6D **2**
Vyner Rd. N. *Pren* —6B **18**
Vyner Rd. S. *Pren* —1B **18**
Vyrnwy St. *Liv* —4H **5**

Wadham Pk. *Boot* —1E **5**
Wadham Rd. *Boot* —2E **5**

Wakefield Dri. *Wir* —1F **9**
Wakefield Rd. *Gt Sut* —6E **47**
Wakefield St. *Liv* —2G **13**
Walby Clo. *Wir* —5A **18**
Walden St. *Birk* —*Wood* —6F **45**
Waldron Clo. *Liv* —2E **13**
Walford Clo. *Wir* —1F **33**
Walker Art Gallery. —3F **13**
Walker M. *Birk* —4H **19**
Walker Pl. *Birk* —4H **19**
Walker's Cft. *Wall* —6D **2**
Walkers La. *L Sut* —1C **46**
Walker St. *Birk* —4H **19**
Walker St. *Liv* —2H **13**
Walker St. *Port S* —3H **27**
Walker St. *Wir* —6D **6**
Wallacre Rd. *Wall* —1C **10**
Wallasey. —1D 10
Wallasey Bri. Rd. *Birk* —4D **10**
Wallasey Cricket Club Ground.
—5D **2**
Wallasey Golf Course. —5A **2**
Wallasey R. F.C. Ground. —1B **10**
Wallasey Rd. *Wall* —1D **10**
Wallasey Village. *Wall* —5C **2**
Wallcroft. *Will* —6C **38**
Waller Clo. *Liv* —4G **5**
Wallingford Rd. *Wir* —3F **17**
Wallrake. *Wir* —4B **30**
Walmsley St. *Liv* —5E **5**
Walmsley St. *Well* —6G **3**
Walnut Gro. *Whitby* —6F **47**
Walnut St. *Liv* —4H **13**
Walsh Clo. *Liv* —1E **13**
Walsingham Ct. *Wall* —2H **11**
(off Liscard Rd.)
Walsingham Rd. *Wall* —2H **11**
Walter St. *Liv* —6D **4**
Walton. —1H 5
Walton Breck Rd. *Liv* —4H **5**
Walton La. *Liv* —4H **5**
Walton Pk. Gdns. *Liv* —1H **5**
Walton Rd. *Liv* —4G **5**
Walton St. *Birk* —1A **20**
Walton Village. *Liv* —1H **5**
(in two parts)
Wapping. *Liv* —5E **13**
Wapping Quay. *Liv* —6E **13**
Warden St. *Liv* —3G **5**
Ward Gro. *Birk* —1F **27**
Ward St. *Liv* —3G **13**
Waring Av. *Birk* —5H **19**
Warkworth Ct. *Ell P* —4C **48**
Warren Ct. *Gt Sut* —4D **46**
Warren Dri. *Ell P* —6E **41**
Warren Dri. *Pren* —1A **18**
Warren Dri. *Wall* —3D **2**
Warren Golf Course. —4D **2**
Warren Hey. *Wir* —1G **33**
Warren Hurst. *Wall* —3E **3**
Warren Rd. *Wir* —6C **6**
Warren St. *Liv* —4G **13**
Warren, The. *Wir* —2H **17**
Warren Way. *Wir* —2H **23**
Warrington Av. *Whitby* —5H **47**
Warrington St. *Birk* —3A **20**
Warwick Clo. *Nest* —2C **42**
Warwick Clo. *Pren* —2G **19**
Warwick Ct. *Ell P* —5C **48**
Warwick Ct. *Liv* —1H **21**
Warwick Dri. *Wall* —5G **3**
Warwick Rd. *Wir* —1A **22**
Warwick Rd. *Wir* —2E **17**
Warwick St. *Liv* —1F **21**
Washbrook Av. *Pren* —4A **10**
Wastdale St. *Wir* —4C **8**
Wastdale Dri. *Wir* —4C **8**
Wastdale M. *Wir* —4C **8**
Waterfield Clo. *Wir* —4D **26**
Waterford Dri. *L Nes* —6E **37**
Waterford Rd. *Pren* —2D **18**
Waterloo Clo. *Ell P* —2A **48**
Waterloo Pl. *Birk* —2A **20**
Waterloo Quay. *Liv* —2C **12**
Waterloo Rd. *Liv* —1D **12**
Waterloo Rd. *Wall* —2F **3**
Waterpark Clo. *Pren* —6D **18**
Waterpark Rd. *Pren & Birk* —6D **18**
Water St. *Birk* —1B **20**
Water St. *Liv* —4D **12**
Water St. *Wall* —1H **11**
Water St. *Wir* —4A **28**

Water Tower Rd. *Clay L* —4C **36**
Waterworks La. *Hoot* —4G **39**
Watkinson St. *Liv* —6F **13**
Watmough St. *Liv* —1G **13**
Watson St. *Birk* —6H **11**
Waverley Gro. *Birk* —5G **19**
Waverley Rd. *Wir* —6E **7**
Waverton Av. *Pren* —5C **18**
Waverton Rd. *Gt Sut* —2E **47**
Wavertree Ct. *Ell P* —6F **41**
Weald Dri. *L Sut* —1A **46**
Weatherby. *Wir* —3H **17**
Weaver Av. Rd. *Ell P* —4A **48**
Weaver St. *Liv* —1H **5**
Webster Av. *Wall* —6H **3**
Websters Holt. *Wir* —1F **17**
Websters La. *Gt Sut* —5F **47**
Webster St. *Liv* —2H **13**
Weldon St. *Liv* —1H **5**
Welfield Pl. *Liv* —3H **21**
Welford Av. *Pren* —5D **18**
Welland Rd. *Wir* —4D **26**
Wellbrae Clo. *Pren* —2D **16**
Well Clo. *Ness* —3E **43**
Weller St. *Liv* —2H **21**
Weller Way. *Liv* —3H **21**
Wellesbourne Clo. *Nest* —1B **42**
Wellesley Av. *Ell P* —2A **48**
Wellesley Gro. *Wir* —3G **27**
Wellesley Rd. *Wall* —1F **11**
Wellesley Wlk. Ell P —2A **48**
(off Wellesley Av.)
Wellington Clo. *Beb* —3G **27**
Wellington Clo. *Ell P* —2A **48**
Wellington Ct. *Ell P* —2A **48**
Wellington Rd. *Beb* —3G **27**
Wellington Rd. *Ell P* —3H **47**
(in two parts)
Wellington Rd. *Pren* —2E **19**
Wellington Rd. *Wall* —2E **3**
Wellington Rd. N. *Ell P* —2A **48**
Wellington St. *Liv* —1F **13**
Wellington Ter. *Birk* —2H **19**
Wellington Ter. *Liv* —2H **21**
Well La. *Beb* —3D **26**
Well La. *Birk* —4H **19**
Well La. *Grea* —4C **16**
Well La. *Hes* —5C **30**
Well La. *Ness* —2D **42**
Wells Clo. *Gt Sut* —6A **46**
Wellswood Rd. *Ell P* —6E **41**
Welshampton Clo. *Ell P* —5D **46**
Welsh Rd. *L Sut & Chil T* —2H **45**
Welsh Rd. *Wood & Led* —6F **45**
Welton Av. *Wir* —2F **17**
Welton Rd. *Croft B* —1B **34**
Wendover Clo. *Pren* —3B **18**
Wenlock Gdns. *Gt Sut* —5F **47**
Wenlock La. *Gt Sut* —5F **47**
Wensleydale Av. *Wir* —6C **34**
Wentworth Av. *Wall* —4F **3**
Wentworth Clo. *Pren* —3B **18**
Wentworth Dri. *Liv* —1H **13**
Wentworth Dri. *Wir* —6H **33**
Wernbrook Clo. *Pren* —3B **18**
Wervin Clo. *Pren* —5C **18**
Wervin Rd. *Pren* —5C **18**
Wesley Av. *Wall* —5G **3**
Wesley Clo. *Park* —6B **36**
Wesley Gro. *Wall* —2A **12**
Westbank Av. *Wall* —4G **3**
Westbank Rd. *Birk* —4G **19**
Westbourne Av. *Wir* —5D **14**
Westbourne Gro. *Wir* —5D **14**
Westbourne Rd. *Pren* —2G **19**
Westbourne Rd. *Wall* —1D **10**
Westbourne Rd. *Wir* —5C **14**
Westbourne St. *Liv* —2H **13**
Westbrook Rd. *Wir* —6C **8**
Westbury St. *Birk* —3A **20**
West Clo. *Pren* —2B **18**
Westcott Way. *Pren* —3B **18**
Westdale Rd. *Birk* —5A **20**
W. Derby Rd. *Liv* —2H **13**
(in two parts)
W. Derby St. *Liv* —3H **13**
West Dri. *Hes* —4C **30**
West Dri. *Nest* —1B **42**
West Dri. *Upt* —2G **17**
Westenra Av. *Ell P* —6F **41**
Western Approaches Mus. —3E **13**
Western Av. *Wir* —5B **28**

Westfield Rd. *Wall* —4H **11**
Westgate Rd. *Wir* —5H **27**
West Gro. *Wir* —3B **30**
Westhouse Clo. *Wir* —6A **34**
West Kirby. —4C 14
W. Kirby Concourse. *W Kir* —5C **14**
W. Kirby Rd. *Wir* —2B **16**
W. Knowe. *Pren* —3D **18**
Westlands Clo. *Nest* —4D **36**
W. Lodge Dri. *Wir* —4C **14**
Westminster Bri. *Ell P* —2A **48**
Westminster Clo. *Liv* —2G **5**
Westminster Ct. *Pren* —2D **18**
Westminster Dri. *Wir* —4B **34**
Westminster Gro. *Ell P* —1A **48**
Westminster Ind. Est. *Ell P* —1F **47**
Westminster Rd. *Ell P* —1A **48**
Westminster Rd. *Liv* —2F **5**
Westminster Rd. *Wall* —1F **11**
Westmoreland Rd. *Wall* —4G **3**
Westmorland Dri. *Liv* —2E **13**
Westmorland Pl. *Liv* —6D **5**
West Pk. Dri. *Gt Sut* —6A **46**
W. Park Gdns. *Pren* —5A **10**
West Rd. *Ell P* —4A **48**
West Rd. *Hoot* —2C **40**
West Rd. *Pren* —2B **18**
Westry Clo. *Wir* —5B **8**
West St. *Wall* —6F **3**
West Va. *Nest* —1C **42**
West Vw. *Birk* —3B **20**
West Vw. Chil T —5A **40**
(off Orchard La.)
West Vw. *Wall* —3E **3**
Westview Clo. *Pren* —3B **18**
Westward Ho. *Wir* —3B **22**
Westward Vw. *Aig* —4H **21**
Westway. *Grea* —3E **17**
Westway. *Hes* —5B **30**
West Way. *More* —4E **9**
West Way. *Pren* —3B **18**
W. Way Sq. *Wir* —4E **9**
Westwood Ct. *Clay L* —3C **36**
Westwood Ct. *Pren* —2D **18**
Westwood Gro. *Wall* —1E **11**
Westwood Rd. *Pren* —1A **18**
Wetherby Av. *Wall* —6C **2**
Wetherby Way. *L Sut* —1B **46**
Wethersfield Rd. *Pren* —4C **18**
Wetstone La. *Wir* —6E **15**
Wexford Clo. *Pren* —3C **18**
Wexford Rd. *Pren* —3D **18**
Weybourne Clo. *Wir* —6G **9**
Weymoor Clo. *Wir* —1F **33**
Whaley La. *Wir* —3B **24**
Whalley Rd. *Birk* —2H **19**
Whalley St. *Liv* —3H **21**
Wharfedale Av. *Birk* —5F **19**
Wharfedale Dri. *Wir* —6D **34**
Wharfedale Rd. *Wall* —5D **2**
Wharfe La. *Ell P* —6G **41**
Wharf Rd. *Birk* —4D **10**
Wharf St. *Wir* —4H **27**
Wharton Clo. *Wir* —1D **16**
Wheatfield Clo. *Gt Sut* —5C **46**
Wheatfield Clo. *Wir* —6F **9**
Wheatland Bus. Pk. *Wall* —3H **11**
Wheatland La. *Wall* —2H **11**
Wheatland Rd. *Wir* —4E **31**
Wheldrake Clo. *L Sut* —2B **46**
Whetstone Hey. *Gt Sut* —5D **47**
Whetstone La. *Birk* —2H **19**
Whinmoor Clo. *Pren* —1B **18**
Whitby. —3H 47
Whitby Av. *Wall* —6C **2**
Whitbyheath. —5F 47
Whitby La. *Back* —6B **46**
Whitby Pk. —4H **47**
Whitby Rd. *Ell P* —2A **48**
Whitby Rd. *Whitby* —3H **47**
Whitebeam Av. *Gt Sut* —6F **47**
Whitebeam Wlk. *Wir* —5B **16**
Whitechapel. *Liv* —4F **13**
Whitecroft Rd. *Gt Sut* —5E **47**
Whitefield Av. *Liv* —1H **5**
Whitefield Clo. *Wir* —4H **17**
Whitefield Way. *Liv* —1H **13**
Whitegates Clo. *Will* —4A **38**
Whitegates Cres. *Will* —5A **38**
Whitehall Clo. *Liv* —2G **5**
Whiteheath Way. *Wir* —2F **9**
Whitehouse La. *Hes* —2E **31**
Whitelands Mdw. *Wir* —2E **17**

White Lodge Clo.—Zig Zag Rd.

White Lodge Clo. *Wir* —6B **34**
Whitemere Ct. *Ell P* —2G **41**
Whiteside Clo. *Liv* —6F **5**
Whiteside Clo. *Wir* —3G **17**
White St. *Liv* —5F **13**
Whitewell Dri. *Wir* —1F **17**
Whitfield Ct. *Birk* —3H **19**
Whitfield La. *Wir* —2C **30**
Whitfield St. *Birk* —3H **19**
(in two parts)
Whitford Rd. *Birk* —3G **19**
Whitley Dri. *Wall* —6G **3**
Whitley St. *Liv* —1D **12**
Whittle Clo. *Liv* —5G **5**
Whittle St. *Liv* —5G **5**
Wickham Clo. *Wall* —3H **11**
Wicklow Clo. *L Sut* —1A **46**
Widgeons Covert. *Wir* —6H **31**
Wiend, The. *Birk* —6H **19**
Wiend, The. *Wir* —4G **27**
Wight Clo. *Ell P* —6A **48**
Wilbraham Pl. *Liv* —6F **5**
Wilbraham St. *Birk* —1A **20**
Wilbraham St. *Liv* —6F **5**
Wilburn St. *Liv* —2H **5**
Wilcock Clo. *Liv* —6F **5**
Wildbrook Dri. *Birk* —3B **10**
Wilde St. *Liv* —3G **13**
Wilfred Owen Dri. *Birk* —6C **10**
Wilkes Av. *Wir* —2H **9**
Wilkinson St. *Ell P* —1H **47**
Wilkinson St. N. *Ell P* —1A **48**
Wilkin St. *Liv* —4G **5**
Willan St. *Pren* —3F **19**
Willaston. —5B 38
Willaston Grn. M. *Will* —5B **38**
Willaston Rd. *More* —4D **8**
Willaston Rd. *Thor H* —3H **37**
William Brown St. *Liv* —3F **13**
William Henry St. *Boot* —1D **4**
William Henry St. *Liv* —2G **13**
William Johnson Gdns. *Ell P* —1A **48**
William Moult St. *Liv* —6F **5**
Williamson Art Gallery & Mus.
—2F **19**

Williamson Sq. *Liv* —4F **13**
Williamson St. *Liv* —4F **13**
William St. *Birk* —1A **20**
William St. *Wall* —3A **12**
Willington Av. *Wir* —2G **39**
Willmer Rd. *Birk* —2G **19**
Willoughby Rd. *Wall* —1D **10**
Willowbank Rd. *Birk* —4H **19**
Willowbank Rd. *Wir* —3H **27**
Willowbrow Rd. *Wir* —1G **37**
Willowcroft Rd. *Wall* —2G **11**
Willowdale Way. *Gt Sut* —6F **47**
Willow Gro. *Whitby* —6B **46**
Willow Gro. *Wir* —6D **8**
Willow La. *Wir* —2H **27**
Willow Lea. *Pren* —3E **19**
Willow Moss Clo. *Wir* —3H **9**
Willow Pk. *Wir* —3C **16**
Willows, The. *Wall* —4C **2**
Wilmslow Av. *Gt Sut* —2E **47**
Wilmslow Dri. *Gt Sut* —3E **47**
Wilne Rd. *Wall* —5E **3**
Wilson Av. *Wall* —1A **12**
Wilson Rd. *Wall* —1A **12**
Wilsons La. *Whitby* —4G **47**
Wilstan Av. *Wir* —4D **26**
Wilton Grange. *Wir* —3C **14**
Wilton Rd. *Birk* —6C **20**
Wilton St. *Liv* —2G **13**
Wilton St. *Wall* —1F **11**
Wimbledon St. *Wall* —6F **3**
Wimborne Av. *Wir* —4C **24**
Wimborne Way. *Wir* —2H **23**
Wimbrick Clo. *Wir* —5F **9**

Wimbrick Hey. *Wir* —5F **9**
Winchester Av. *Ell P* —3B **48**
Winchester Dri. *Wall* —1D **10**
Windermere Clo. *L Nes* —6D **36**
Windermere Ct. *Birk* —2G **19**
(off Penrith St.)
Windermere Rd. *Ell P* —5A **48**
Windermere Rd. *Pren* —2A **18**
Windfield Gdns. *L Sut* —6D **40**
Windle Ct. *Clay L* —3C **36**
Windle Hill. —5G 37
Windmill Gdns. *Pren* —5A **10**
Windsor Clo. *Grea* —4D **16**
Windsor Clo. *New F* —2G **27**
Windsor Dri. *Whitby* —4G **47**
Windsor M. *Wir* —2G **27**
Windsor St. *Liv* —6G **13**
Windsor St. *Pren* —2G **19**
Windsor St. *Wall* —2F **3**
Windways. *L Sut* —6D **40**
Windy Bank. *Port S* —3G **27**
Winford St. *Wall* —2H **11**
Winfrith Clo. *Wir* —6F **27**
Winfrith Dri. *Wir* —1F **33**
Wingate Clo. *Pren* —3C **18**
Wingate Rd. *Wir* —6C **34**
Winkle St. *Liv* —2H **21**
Winnington Rd. *Wir* —2C **14**
Winser St. *Wir* —3H **27**
Winsford Gro. *Gt Sut* —4C **46**
Winslow St. *Liv* —2H **5**
Winstanley Ho. Wir —2H **27**
(off Winstanley Rd.)
Winstanley Rd. *L Nes* —2C **42**
Winstanley Rd. *Wir* —2H **27**
Winston Dri. *Pren* —2A **18**
Winston Gro. *Wir* —5E **9**
Winter Gdns., The. Wall —3E **3**
(off Atherton St.)
Winterhey Av. *Wall* —2F **11**
Winton Clo. *Wir* —2H **13**
Winton Clo. *Wall* —3D **2**
Winthrop Pk. *Pren* —2C **18**
Wirral Bus. Cen. *Birk* —3G **11**
Wirral Bus. Pk., The. *Wir* —4F **17**
Wirral Clo. *Wir* —6F **27**
Wirral Country Pk. —5D 22
Wirral Cres. *L Nes* —2D **42**
Wirral Gdns. *Wir* —6F **27**
Wirral Ladies Golf Course, The.
—1C **18**
Wirral Leisure Pk. *Wir* —6C **28**
Wirral Mt. *Wall* —6D **2**
Wirral Mt. *Wir* —5F **15**
Wirral Tennis Cen. —3B 10
Wirral Vs. *Wall* —5C **2**
Wirral Way. *Pren* —2A **18**
Wirral Way. *Wir* —3H **29**
Withburn Clo. *Wir* —2E **17**
Withensfield. *Wall* —5F **3**
Withens La. *Wall* —5F **3**
Withert Av. *Wir* —1D **26**
Withington Rd. *Wall* —2G **11**
Witley Av. *Wir* —4E **9**
Witley Clo. *Wir* —4E **9**
Witney Clo. *Wir* —4C **16**
Wittenham Clo. *Wir* —3F **17**
Wittering La. *Wir* —3H **29**
Witterings, The. *Nest* —4C **36**
Woburn Pl. *Birk* —5B **20**
Woburn Rd. *Wall* —5F **3**
Wolferton Clo. *Upt* —6H **9**
Wolfe St. *Liv* —2G **21**
Wolfrick Dri. *Wir* —2H **33**
Wolsey St. *Liv* —2E **5**
Wolstenholme Sq. *Liv* —5F **13**
Wolverham. —3B 48
Wolverham Rd. *Ell P* —4A **48**
Woodacre Gro. *Ell P* —5F **41**

Woodacre Rd. *Ell P* —5E **41**
Woodbank Pk. *Pren* —3C **18**
Woodbank Rd. *Whitby* —5H **47**
Woodberry Clo. *Pren* —3B **18**
Woodbine St. *Liv* —4F **5**
Woodburn Boulevd. *Wir* —1E **27**
Woodburn Dri. *Wir* —5B **30**
Woodchurch. —5H 17
Woodchurch Ct. *Birk* —4G **19**
Woodchurch La. *Birk* —5F **19**
Woodchurch La. *Ell P* —1E **47**
Woodchurch La. *Upt* —1E **25**
Woodchurch Leisure Cen. —4A **18**
Woodchurch Rd. *Birk* —4G **19**
Woodchurch Rd. *Upt & Pren* —6H **17**
Wood Clo. *Birk* —6H **11**
Wood Clo. *Chil T* —4A **40**
Woodcote Av. *Whitby* —5H **47**
Woodcote Bank. *Birk* —2F **27**
Woodcotes, The. *Wir* —5B **34**
Woodcot La. *Wir* —2B **30**
Woodcroft Dri. *Wir* —1B **30**
Woodcroft La. *Wir* —1E **27**
Woodend. *Wir* —4B **24**
Wood End La. *Barn* —3A **44**
Woodend Rd. *Ell P* —1F **47**
Woodfall Clo. *L Nes* —1E **43**
Woodfall Gro. *L Nes* —1E **43**
Woodfall La. *L Nes* —1D **42**
(in two parts)
Woodfield Av. *Wir* —1E **27**
Woodfield Rd. *Beb* —6G **27**
Woodfield Rd. *Ell P* —2A **48**
Woodfield Rd. *Hes* —5A **24**
Woodfield Rd. N. *Ell P* —2A **48**
Woodford Rd. *Wir* —1H **27**
Wood Grn. *Pren* —5A **10**
Woodhall Av. *Wall* —1H **11**
Woodham Gro. *L Nes* —2D **42**
Woodhead Rd. *Wir* —3A **28**
Woodhead St. *Wir* —2H **27**
Woodhey Ct. *Wir* —1F **27**
Woodhey Gro. *Wir* —2F **27**
Woodhey Rd. *Wir* —2F **27**
Woodhill. *Wir* —3H **17**
Woodhouse Clo. *Wir* —4G **5**
Woodin Rd. *Birk* —1G **27**
Woodkind Hey. *Wir* —1G **33**
Woodland Av. *Wir* —4F **7**
Woodland Dri. *Wall* —4G **3**
Woodland Dri. *Wir* —4G **17**
Woodland Gro. *Birk* —1F **27**
Woodland Rd. *Birk* —1F **27**
Woodland Rd. *Upt* —4G **17**
Woodland Rd. *W Kir* —5G **15**
Woodland Rd. *Whitby* —5G **47**
Woodlands Clo. *Park* —5B **36**
Woodlands Dri. *Wir* —5E **25**
Woodlands Rd. *Irby* —4H **23**
Woodlands Rd. *Park* —5B **36**
Woodlands, The. *Birk* —2H **9**
Woodlands, The. *Wir* —2F **17**
Woodland Vw. *Chil T* —5B **40**
Woodland Wlk. *Wir* —2A **34**
Wood La. *Burt* —5G **43**
Wood La. *Grea* —2D **16**
Wood La. *Park* —2A **36**
Wood La. *Wall* —5C **2**
Wood La. *Will* —4C **38**
Woodlea Clo. *Wir* —6B **34**
Woodpecker Clo. *Wir* —2D **16**
Woodruff St. *Liv* —3H **21**
Woodside. *Whitby* —5A **48**
Woodside Av. *Wir* —6E **9**
Woodside Bus. Pk. *Birk* —6B **12**
Woodside Ferry App. *Birk* —6B **12**
Woodside Rd. *Wir* —3A **24**
Woodsome Clo. *Whitby* —6H **47**
Woodsome Dri. *Whitby* —6H **47**

Woodsorrel Rd. *Birk* —6D **10**
Woodstock Rd. *Wall* —2E **11**
Woodstock St. *Liv* —6F **5**
Wood St. *Birk* —6H **11**
Wood St. *Hoy* —6D **6**
Wood St. *Liv* —4F **13**
Wood St. *Port S* —4H **27**
Woodvale Clo. *Pren* —5A **10**
Woodvale Ct. *Wir* —6G **17**
Woodvale Rd. *L Sut* —1D **46**
Woodview Av. *Wall* —3H **11**
Woodville Rd. *Birk* —3G **19**
Woodward Rd. *Birk* —1G **27**
Woodway. *Wir* —3E **17**
Woodyear Rd. *Wir* —4C **34**
Wooler Clo. *Wir* —5C **8**
Woollam Dri. *Ell P* —6D **40**
Woolton Ct. *Ell P* —5F **41**
Worcester Ct. *Boot* —1F **5**
Worcester Rd. *Pren* —5B **10**
Worcester St. *Ell P* —1A **48**
Worcester Wlk. *Ell P* —1A **48**
Wordsworth Av. *Birk* —6B **20**
Wordsworth Wlk. *Wir* —1A **22**
Wordsworth Way. *Gt Sut* —6E **47**
Worthington St. *Liv* —1F **21**
Wrenbury Clo. *Pren* —5D **18**
Wright St. *Liv* —6F **5**
Wright St. *Wall* —1H **11**
Wroxham Clo. *Wir* —3G **17**
Wroxham Dri. *Wir* —2G **17**
Wroxham Dri. *Wir* —3G **17**
Wroxham Way. *Wir* —3G **17**
Wrynose Rd. *Old I* —3C **34**
Wulstan St. *Liv* —4F **5**
Wycherley Rd. *Birk* —4H **19**
Wycliffe Rd. *Gt Sut* —4F **47**
Wycliffe St. *Birk* —5B **20**
Wye Clo. *Birk* —4B **20**
Wyedale. *Whitby* —4H **47**
Wye St. *Liv* —5H **5**
Wykeham St. *Liv* —3F **5**
Wykeham Way. *Liv* —4F **5**
Wyncroft Clo. *Whitby* —4H **47**
Wyncroft St. *Liv* —4F **21**
Wyndham Cres. *Gt Sut* —5E **47**
Wyndham Rd. *Wall* —6B **2**
Wyndham St. *Liv* —1H **5**
Wynstay Rd. *Wir* —5E **7**
Wyre Rd. *Liv* —4H **5**
Wyvern Rd. *Wir* —5F **9**

Yardley Dri. *Wir* —2G **33**
Yates St. *Liv* —2G **21**
Yates Wlk. *Liv* —2G **21**
Yelverton Rd. *Birk* —4H **19**
Yeoman Cotts. *Wir* —1E **15**
Yeoman Way. *Gt Sut* —6E **47**
Yewdale Dri. *Whitby* —6F **47**
Yewdale Pk. *Pren* —3F **19**
Yewtree Clo. *L Nes* —6D **36**
Yew Tree Clo. *Wir* —5G **17**
Yewtree La. *Wir* —4D **14**
Yew Tree Rd. *Beb* —5E **27**
Yew Tree Rd. *More* —3F **9**
Yew Way. *Wir* —4F **9**
York Av. *Wall* —2H **11**
York Av. *Wir* —6D **14**
York Rd. *Ell P* —2A **48**
York Rd. *Wall* —3H **11**
York St. *Liv* —5F **13**
York St. *Walt* —1H **5**
York St. *Wir* —4B **28**
York Ter. *Liv* —5G **5**

Zetland Rd. *Wall* —4D **2**
Zig Zag Rd. *Wall* —5F **3**